LATINE LEGAMUS

PART I

LATINE LEGAMUS

PART ONE

by

J. A. HARRISON, M.A.

and

S. J. WILSON, B.A.

Senior Classical Masters

The Methodist College, Belfast

LONDON

G. BELL AND SONS LTD

1966

York House, Portugal Street
London, W.C.2

First published 1961
Reprinted 1962, 1964, 1965, 1966

Printed in Great Britain by
Richard Clay (The Chaucer Press), Ltd,
Bungay, Suffolk

PREFACE

Our main aim in writing this book was to attempt to produce material which would interest the readers, despite the obvious limitations of vocabulary and syntax. We have found that in elementary readers the stories are often so compressed that they become almost unintelligible. To avoid this, we have told most of the stories in instalments, hoping that the pupil will be led on by the developing plot to want to discover what comes next.

About half of the material has a Greek background. If this seems excessive in a Latin reader, we could plead that much of Roman civilisation cannot be understood without its Greek origins and also that many of the best stories are Greek.

The accidence and syntax are introduced by stages. Part One covers most of the accidence and some elementary syntax: Part Two takes the reader to a point where he can tackle undiluted Caesar. The order in which the grammar is introduced is, it is hoped, not very dissimilar from that of most Latin Courses. In any case, it is our experience that, with very little help from the teacher, pupils can translate Latin forms and constructions which they have not yet met in their English–Latin work. We have also given help in many places on the best method of translating Latin constructions.

The general vocabulary contains all the words used, except proper names. The vocabulary of proper names gives brief explanations, where necessary, of people and places.

The places mentioned can be found on the outline maps which follow the vocabularies. The proper name vocabulary indicates on which outline map each place is marked.

Part One can be started when the pupil has studied Latin for about two to three months and has mastered the basic ideas of inflection and agreement. A fairly good class could reach the end of Part Two in two to three years, depending on age, ability and the amount of time allotted.

We wish to express our sincere thanks to Mr. W. J. Bullick, M.A., LL.B., one time Senior Classical Master at the Methodist College. He read the Latin passages as they were written and made many suggestions which improved their clarity and style.

J. A. H.
S. J. W.

Belfast
March 1961

CONTENTS

LIST OF ILLUSTRATIONS

PLATES

MAPS

PRELIMINARY EXERCISES

ROME AND HER NORTHERN NEIGHBOURS

Though it spread to Britain and parts of Germany, the Roman Empire was mainly centred round the Mediterranean. The Romans had reason to fear the restless, warlike tribes of Germany and Eastern Europe for in 390 B.C. Rome itself was captured by the Gauls, and eight hundred years later it was the Goths and Huns and Vandals who brought the Roman Empire to an end.

Look up proper names in the Proper Name vocabulary. If they are places, this vocabulary will tell you on which of the six maps you will find the positions marked.

A

The Gauls capture Rome 390 B.C.

GRAMMAR: Present indicative active of *amo* and *moneo*
Nouns of the 1st declension
Nouns of the 2nd declension in *-us*
Easy prepositions

NOTES: The present tense has three meanings. *amo* means 'I love', 'I am loving' or 'I do love'. Choose the most suitable meaning for the sentence you are translating.

There is no definite or indefinite article in Latin. *mensa* can mean 'a table', 'the table' or simply 'table'.

Proper names are declined in Latin but must always have their nominative form in English: e.g. *Claudium timemus*—we fear ClaudiUS.

1. In Gallia habitant Galli.
2. Inter Gallos regnat Brennus.
3. Copias Gallorum parat et contra Romanos pugnat.
4. Prope Alliam fluvium Romani et Galli pugnant.
5. Copiae Brenni Romanos magnopere terrent.
6. Gladiis et hastis Galli pugnant: tandem Romanos superant.
7. Brennus muros Romae oppugnat.
8. Romani cibum non habent et Gallos magnopere timent.
9. Copias tamen parant et pro patria pugnant.
10. Galli tandem Romam intrant: Romani pecuniam Brenno dant et incolas Romae servant.

B

The Germans threaten Rome 113–101 B.C.

GRAMMAR: Present indicative active of *rego* and *audio*
Nouns of the 2nd declension in *-er* and *-um*

1. In Germania habitant Cimbri.
2. Cimbri copias e Germania ducunt.
3. In Galliam veniunt et Gallos superant.
4. Romani copias contra Cimbros mittunt.
5. Cimbri Romanos bello superant et agros Gallorum vastant.
6. Romani periculum belli magnopere timent sed Cimbri in Hispaniam copias ducunt.
7. Cimbri ex Hispania in Italiam veniunt.
8. Romani imperium Mario dant.
9. Marius Romanos contra Cimbros ducit.
10. Prope Padum fluvium Cimbros superat et patriam e periculo servat.

C

The Romans conquer Gaul 58–51 B.C.

GRAMMAR: Imperfect and perfect indicative active of *amo* and *moneo*

NOTES: The imperfect tense has two common meanings. *amabam* means 'I was loving' or 'I used to love'. It can also sometimes mean simply 'I loved'. The sense will show you which is best.

The perfect has three meanings. *amavi* means 'I loved', 'I have loved' or 'I did love'.

1. Romani Gallos et Cimbros semper in memoria tenebant.
2. Tandem Caesar cum copiis Romanorum Galliam intravit.
3. Galli auxilium rogabant quod Germanos timebant.
4. Caesar Germanos bello superavit et e Gallia fugavit.
5. Deinde contra Gallos Caesar diu pugnabat.
6. Galli copias paraverunt sed Romanos non sustinebant.
7. Vercingetorix inter Gallos regnabat et contra Romanos pugnavit.
8. Patriam tamen non servavit.
9. Caesar oppida expugnavit: agros Gallorum vastavit.
10. Tandem copias Gallorum proelio superavit.

D

The Romans attack Britain 55 B.C.

GRAMMAR: Imperfect and perfect indicative active of *rego* and *audio*

1. Britanni in insula habitant: insula prope Galliam iacet.
2. Galli nuntios in Britanniam miserunt et auxilium rogaverunt.
3. Britanni in Galliam venerunt et cum Gallis contra Romanos pugnabant.
4. Caesar Britannos non amavit quod auxilium Gallis miserunt.
5. Ubi Caesar Gallos superavit, Britannos punivit.
6. Ad Britanniam cum copiis navigavit.
7. Britanni copias paraverunt et Romanos diu sustinebant.
8. Tandem Romani Britannos ex ora fugaverunt.
9. Caesar Britanniam intravit et incolas proelio superavit.
10. Ubi agros vastavit, in Galliam navigavit.

The Romans finally occupied Britain in A.D. 43–47.

CHAPTER ONE

THE WAR OF THE GREEKS AND THE TROJANS

IN TEN PARTS

Most people have heard of the Trojan war, but often they know only some isolated facts about it. Here you have a continuous narrative from the first causes of the war to the final destruction of Troy.

The story is mostly fable but there is almost certainly some historical fact behind it. Troy *was* a great city and it *was* destroyed by fire, perhaps by the Greeks, about 1180 B.C. The real cause of the war may have been trade rivalry, since the Trojans controlled the passage through the Hellespont to the Black Sea.

GRAMMAR (Passages 1–4):
Present, imperfect and future of the verb *sum*
Present infinitive active of the 4 conjugations
Adjectives with 1st and 2nd declension forms
Simple conjunctions

NOTE: Adjectives usually follow their nouns in Latin and have the same gender, number and case as the noun or pronoun they qualify.

1. *The Birth of Paris*

Troia erat oppidum magnum in Asia ubi regnabat Priamus. Multa oppida parva superavit et divitias magnas comparavit. Graeci ad oras Asiae saepe navigabant:

Priamum non amaverunt quod nautas Graecos iubebat
5 pecuniam Troianis dare. Sed muri Troiae validi erant,
itaque Priamus iram Graecorum non timuit.

Nupta Priami erat Hecuba: liberos multos et claros
habuerunt. Sed dei clamaverunt: "O Priame, filius
tuus parvus Alexander[1] Troianis erit periculosus: Troi-
10 anos iubemus Alexandrum expellere." Verba deorum
Priamum terruerunt: lacrimae nuptae animum non
moverunt. Servum fidum iussit puerum ex oppido por-
tare et in loco deserto relinquere. Sed ferae puerum non
devoraverunt. Agricola Alexandrum miserum invenit
15 et in casam suam portavit ubi nupta agricolae puerum
cura magna educavit.

Itaque consilium Priami Troiam non servavit. Alexander enim vivus erat et bellum Troianum postea movit.

2. *A Golden Apple threatens Danger*

NOTE: *-que* = 'and' is always translated *before* the word to which it is joined: e.g. *Graeci Troianique* = Greeks and Trojans.

In Graecia olim habitabat Peleus, vir validus et intrepidus et deis carus. Clamavit Iuppiter: "Thetis, dea
marina, erit nupta Pelei." Itaque Peleus, ubi nuptias
suas celebravit, convivium magnum paravit. Ex Olympo
5 descenderunt dei deaeque, et dona pulchra Peleo dederunt. Magnum erat gaudium Pelei nuptaeque suae.

Sed deam Discordiam ad convivium non invitaverunt,
nam in nuptiis discordia non grata est. Inde dea irata
pomum aureum fabricavit et in turbam convivarum
10 iactavit. Sic Discordia convivas ad rixam magnam excitavit, nam deae multae clamabant: "Meum erit pomum
pulchrum, non tuum," et ira animos dearum movit.

[1] Paris and Alexander are the same person.

I Augustus Caesar (*See Passage 53*)

II Julius Caesar (*See Passages 51–52*)

Tandem deae Iuno et Minerva et Venus ad Olympum venerunt. "O Iuppiter," inquiunt, "rixae nostrae arbiter eris, nam ob pomum aureum discordia magna est." 15
Sed Iuppiter sapientia magna "In rixa," inquit, "dearum magnarum arbiter non ero: Alexandrum, Priami filium, in terra videtis: Alexandrum iubeo deam deligere et pomum aureum dare." Itaque deae ex Olympo ad Alexandrum descenderunt. 20

3. *The Judgement of Paris brings danger nearer*

NOTE: Latin often uses the present tense in telling a story. Translate this by a past tense in English.

Alexander in agris laborabat. Ubi deae in terram descendunt, formas divinas magnopere timet et in silvas finitimas currit. Deae Alexandrum ex silvis vocant et fabulam pomi aurei narrant. "Iuppiter," inquiunt, "Alexandrum iubet deam deligere et pomum aureum 5
dare: arbiter dearum eris et iudicium tuum semper notum erit." Inde gaudium animum Alexandri movet: "Ob iudicium meum," inquit, "semper clarus ero."

Sed deae promissis magnis animum Alexandri sollicitant. Iuno potentiam promittit, Minerva promittit 10
sapientiam; sed Venus nuptam pulchram promittit. "Helena," inquit, "nupta tua erit: Helenam pulchram etiam dei magni amant." Promisso suo Venus victoriam reportavit, nam Alexander neque potentiam neque sapientiam amavit. In animo semper Helenam pulchram 15
videbat: nuptam tam claram habere constituit. Itaque magno gaudio Venus pomum aureum ad Olympum portavit. Iuno et Minerva iratae erant et postea in bello Troiano Graecos semper adiuvabant.

Iudicium Alexandri erat causa periculorum multorum Troianis.

4. *Paris carries off Helen from Greece to Troy*

Alexander, iam vir pulcher et validus, in agris adhuc habitabat. Venus tamen promissum suum non violavit: Alexandrum adiuvare et in oppidum Troiam[1] reducere constituit. Itaque, ubi Priamus ludos magnos paravit et agricolas in oppidum ad ludos venire iussit, cum multis amicis ex agris venit Alexander. Tum Venus oculos Priami ad Alexandrum vertit: magno gaudio Priamus Hecubae clamavit: "Filium nostrum video: noster Alexander vivus est."

Itaque Alexander in oppido cum Priamo iterum habitabat: postea in Graeciam navigavit ubi loca multa et clara vidit. Tandem ad oppidum Spartanorum venit ubi regnabat Menelaus cum Helena regina sua. Forma paene divina Helenae animum advenae Troiani magnopere movit. "Non iam Menelai," inquit, "Helena erit nupta: promisso suo Venus reginam Spartanorum Alexandro dat."

Tum forte Menelaus procul ab oppido suo erat. Verbis multis Alexander animum reginae sollicitavit et tandem Helena cum Troianis ex Graecia navigavit. Menelaus ob iniuriam iratus socios ad arma vocavit: sic nuptiae Pelei et pomum aureum Graecos ad bellum excitaverunt.

[1] English uses the Genitive for this Accusative.

GRAMMAR (Passages 5–10):

Nouns of the 3rd declension
Adjectives of the 3rd declension
The personal pronouns: *ego*, *tu*, *is*

5. *The Greeks assemble but are delayed by Diana*

Nuntii ad oppida multa Graeciae cucurrerunt: "Menelaus," clamabant, "bellum in Troianos gerere constituit et vos ad arma vocat." Nec Menelaus frustra auxilium rogat. Milites multi venerunt et naves multas paraverunt Graeci.

Sed Agamemnon, frater Menelai, Graecorum dux, cervum Dianae sacrum occidit: itaque dea irata ventum navibus Graecorum non dabat. "Agamemnon," inquit, "cervum meum occidit: eum iubeo filiam suam Iphigeniam occidere." Lacrimis multis Agamemnon verba Dianae audivit. Iphigeniam magnopere amabat, sed milites eum ob moram culpabant et iam magna cibi inopia in castris Graecorum erat.

Tandem pater filiam ad castra venire iussit. "Ob causam crudelem," inquit, "te vocavi: ventum diu rogamus sed Diana irata naves nostras hic tenet et te iussit morte tua Graecos servare." Tum puella intrepida, "Non tu," inquit, "O pater, sed dea me occidit: si salutem Graecis do, mortem non timeo." Sic virtus Iphigeniae Graecos fame liberavit et ad bellum misit.

6. *The Landing at Troy: Agamemnon and Achilles quarrel*

NOTE: When translating neuter plural adjectives where there is no accompanying noun, add the word 'things' in English: e.g. *multa* = many things. The masculine plural of many adjectives is used as a noun: e.g. *nostri* = our men, our friends; *sui* = his men, their men; his friends, their friends.

Postea naves Graecorum armis militibusque plenae ad Asiam appropinquant. Hector, dux Troianorum, cum copiis omnibus hostes exspectat. Diu pugnant Graeci Troianique sed tandem Graeci victoriam reportant et Troianos ab ora maritima fugant. Tum naves suas in terram trahunt et castra vallo fossaque muniunt.

Sic Agamemnon Troianos vicit sed, ubi Troiae muros magnos et validos vidit, copias ab urbe reduxit: parva oppida finitima, ubi habitabant Troianorum socii, oppugnare constituit.

Achilles, Pelei filius, Graecos omnes virtute superabat, itaque eum in hostium oppida misit Agamemnon. Achilles oppida multa oppugnavit et ex eis divitias magnas, multos servos, puellas pulchras[1] comparavit. Puella erat Briseis nomine; eam delegit Achilles. "Tu mihi," inquit, "uxor eris." Sed Agamemnon Briseida[2] pulchram vidit. "Ego," inquit, "dux Graecorum sum: te iubeo puellam mihi tradere."

Tum Achilles iratus clamavit: "Tu in castris tutus semper manes neque oppida hostium oppugnas, Agamemnon, sed me tibi puellam meam tradere iubes: tu omnia semper devoras: non iam servus tuus ero." Sic verbis iratis ducem suum culpavit neque iam Graecos in bello adiuvabat.

[1] 'et' is often omitted with groups of nouns or short phrases.
[2] 'Briseida' is accusative case of 'Briseis'.

7. *Achilles returns to Battle to avenge Patroclus*

Ubi Achilles in tabernaculo suo manebat neque iam Graecos adiuvabat, Hector, Priami filius, multis cum militibus castra hostium oppugnavit. "O Troiani," clamavit, "iam dei victoriam magnam nobis dant: Achilles diu nos omnes terret, sed nunc ob iniuriam iratus suos non adiuvat: facile nobis erit Graecos vincere et ex Asia expellere."

Achilles Patroclum magnopere amabat. Ubi Patroclus hostes non procul ab navibus Graecorum vidit, Troianos intrepidus oppugnavit et ex castris fugabat. Tum Hector oculos in Patroclum vertit: "Non iam," inquit, "Achilli carus eris, nam ad Orcum te mitto:" et statim hasta eum occidit.

Tum ira magna animum Achillis movet. Relinquit tabernaculum, in proelium currit, Hectorem tandem invenit. "Mortuus Patroclus," inquit, "mortem tuam rogat:" et Hectorem statim occidit. Inde Achilles corpus Hectoris miseri ter circum muros Troiae trahit. Lacrimis multis Troiani ex muris principem mortuum vident.

8. *The Death of Achilles: the Guile of Ulysses*

Sed etiam post Hectoris mortem Troiani pugnabant et principes multi et clari ad Orcum descenderunt. Achilles mortem non vitavit, nam ex muris Paris eum vidit et auxilio Phoebi sagitta occidit neque Thetis dea filium suum servavit.

Vir erat inter omnes Graecos ob sapientiam et fallacias notus Ulixes. "Diu pugnamus," inquit, "et in Graecia nos diu exspectant uxores nostrae, sed non facile est muros tam validos armis expugnare neque victoria nobis erit

10 nisi consilio meo." Ubi Graeci consilium Ulixis audiverunt, post omnia belli pericula victoriam salutemque tandem sperabant.

Itaque equum ligneum fabricaverunt Graeci et in equo magno milites multos celaverunt; tum omnibus navibus 15 ad insulam Tenedum[1] nocte discesserunt: equum viris plenum in ora maritima et mendacem, Sinonem nomine, in silva finitima reliquerunt.

9. *The Trick of the Wooden Horse*

Ubi Troiani ad oram maritimam mane oculos vertunt, neque naves neque tabernacula hostium vident. Inde magno gaudio clamant omnes: "Ex Asia discesserunt Graeci; periculo et morte nos Iuppiter liberavit et auxilio 5 divino servavit."

Tum magna Troianorum turba ex oppido currit et laeti loca nota spectant. "Hic Achilles," clamant, "tabernaculum habebat; hic Agamemnonis castra erant."

Ubi equum ligneum viderunt, stupebant Troiani et 10 magnopere timebant; tum forte Sinonem in silva invenerunt. De equo multa[2] rogaverunt: Graecus mendax falsa[2] respondit: "Equum deis donum Graeci hic reliquerunt: ab maris periculis eos servat. Non iam ego Graecos amo sed vobis nunc socius ero; itaque vos iubeo 15 equum in oppidum vestrum trahere et sic nautas Graecos in supplicium et mortem tradere."

Laocoon, Troianorum sacerdos, verba Sinonis culpabat: "Graecorum," inquit, "omnia dona timeo: non discesserunt hostes sed per fallaciam nos oppugnant." 20 Tum Minerva serpentem magnam trans mare misit et

[1] See Note (1) to Passage 4.
[2] See Note at head of Passage 6.

sacerdotem occidit. Mors sacerdotis Troianos magnopere terruit: "Equus ligneus," clamaverunt, "sacer est neque falsa erant Sinonis verba." Itaque equum in oppidum trahere constituerunt.

10. *The End of the War*

Troiani, ubi in medio oppido equum ligneum collocaverunt, convivia multa paraverunt et gaudio pleni omnes erant. Tandem ex conviviis defessi discesserunt et mox omnes dormiebant.

Tum Sinon nocte per oppidum cucurrit et milites iussit ex equo descendere. "Troiani," inquit, "omnes dormiunt neque iam muros custodiunt: nunc facile nobis erit portas occupare et Graecos in oppidum vocare." Interea Graeci ab insula Tenedo silentio navigaverunt et mox per omnes portas Troiam intraverunt.

Clamores hostium Troianos excitaverunt. Ubi oppidum Graecis plenum viderunt, primo stupebant et mortem miseri exspectabant. Tum duces eis clamaverunt: "Nunc tempus est, O Troiani, pugnare et uxores liberosque servare." Diu et magna virtute pugnabant Troiani, sed frustra: magnum eorum numerum Graeci occiderunt, Troiam incenderunt, ad Graeciam laeti navigaverunt.

In libris Homeri et Vergilii fabulam belli Troiani legimus.

occupare - take possession of mox - soon
custodiunt - guard
dormiebant - sleep
portas — gates

CHAPTER TWO

FOUNDING OF ROME: STORIES OF EARLY ROME

Though the Romans conquered Greece in war, they were much influenced by Greek ideas and loved to claim descent from the Trojans. The first five of these Roman passages trace the mythical founding of Rome from the arrival in Italy of Aeneas, a Trojan prince, to the deification of Romulus.

Passages 16–19 tell two stories of Rome's war with the Etruscans. In them Horatius and Mucius show the courage and determination that won Rome her world empire.

In Passage 20 we read of civil disturbance at Rome and the original method by which it was settled.

GRAMMAR (Passages 11–15):

Perfect, pluperfect and future-perfect indicative of the verb *sum*

Future, pluperfect and future-perfect indicative active of the four conjugations

The relative pronoun

NOTE: After a full-stop, colon or semi-colon the relative pronoun should be translated by the demonstrative or by the personal pronoun. This is called the 'Connecting Relative'.

e.g. *Quae ubi vidit*—When he saw THIS (*or*) these things.

Quem ubi vidit—When he saw HIM (*or*) this man.

THE FOUNDING OF ROME

IN FIVE PARTS

11. *Aeneas escapes from Troy* (1)

Inter principes Troianorum erat Aeneas, vir clarus, qui patriam magnopere amabat.

Ubi Graeci ex equo ligneo descendebant, Aeneas ignarus periculi dormiebat. Repente in somno formam vidit Hectoris iam mortui, qui longam barbam habebat 5 multaque vulnera sua monstrabat. Timor animum Aeneae occupavit; Hector voce tristi multisque lacrimis fatum Troiae monstravit. "Hostes," inquit, "muros Troiae habent; mox urbem nostram incendent. Nunc tempus est Troiam miseram relinquere. Mandat tibi 10 patria tua deos suos, Penates et Vestam, cuius ignis aeternus est. Tu mortem vitabis et ex Asia tutus navigabis: inde per omnia maria diu errabis, tandem ad Italiam venies urbemque ibi condes, quae sociis tuis deisque aeterna sedes erit." 15

Quae ubi audivit, somnus Aenean[1] reliquit. Undique Graecos, undique ignes mortemque crudelem videt. Petit statim patrem, uxorem, liberos;[2] quos per vias, per tela, per hostes[2] ad oram maritimam ducit. Ibi navem invenit et ex patria cum suis navigat. 20

12. *Aeneas' Wanderings* (2)

Sic Aeneas, ubi Hectoris promissa audivit, Troiam reliquit. Inde diu multa per maria classe navigabat, multas per terras errabat, sed per omnia pericula semper Italiam petebat, ubi Iuppiter novam urbem ei promiserat. Tandem navibus ad Italiam appropinquabat. 5

[1] Accusative of 'Aeneas'. [2] See Note (1) below Passage 6.

Nox erat: caelo sereno ventoque secundo Troiani navigabant. Iamque Aurora stellas fugabat, ubi repente luce obscura colles humiles viderunt. Italia erat. "Italiam" omnes socii clamant, Italiam omnes laeto clamore salutant.

Sed dea Iuno, quae semper fuerat Troianis inimica, pericula nova eis parabat. Tempestatem magnam excitavit: iactant undae magnae classem Troianorum, magnus aquae mons in naves descendit. Multas naves delevit tempestas: ipse Aeneas cum navibus reliquis ad oram Africae venit. Sed, quod vir pietate insignis erat, Iovis promissa semper in animo tenebat: itaque non diu in Africa mansit sed iterum Italiam petivit.

13. *Aeneas in Italy* (3)

Erat fluvius Italiae latus et pulcher, cuius nomen Tiberis erat. Circum ripas fluvii aves volabant et cantabant. Huc mane gaudio magno Aeneas naves vertit. Hic tandem Troianis finis erat periculorum maris et nautae post longum iter defessi ad terram venerunt.

Incolae loci Latini erant, qui primo Troianos salutaverunt. Sed mox Iuno eos ad bellum excitavit. Itaque Aeneas magnum bellum in Italia gessit, tandem Latinos gentesque finitimas, qui Latinorum socii erant, superavit. Turnum, ducem Italorum, ad pugnam Aeneas provocavit et occidit. Inde pacem cum Latinis confirmavit, muros aedificavit, urbem Lavinium condidit, mores suos deosque Latinis dedit. Post mortem eius filius Iulus Albam Longam condidit: Romulus, ex gente Albana, post multos annos urbem Romam condidit.

Sic Roma ex urbe Troia originem habuit. C. Iulius Caesar, qui Galliam vicit primusque Romanorum Britanniam oppugnavit, nomen ab Iulo, filio Aeneae, habet.

14. *Romulus, the Founder of Rome* (4)

Urbs Roma a Romulo nomen habet. Inter Romulum Remumque fratrem rixa erat: ambo enim simul urbem condere constituerunt. Inde Romulus "Aves," inquit, "augurium nobis dabunt. Sic discordiae nostrae finis erit."

Itaque mane Romulus montem Palatinum, Remus montem Aventinum ascendit. Remus in caelo sex aves, frater bis sex videt. Quo augurio laetus Romulus agrestes undique ex agris vocat deosque invocat. Dei omina secunda dant: Iuppiter enim fulmen e caelo mittit. Tum agrestes studio magno murum urbis novae aedificabant.

Iusserat Romulus servum, nomine Celerem, murum custodire hostesque omnes occidere. Sed Remus invidia plenus muros humiles contempsit. "Muris," inquit, "tam parvis populus non erit tutus", et murum insolenter transiluit.[1] Statim Celer eum telo oppugnavit et Remus mortuus ad terram cecidit.

Movit Romulum fratris mors: lacrimas tamen celavit. Sic Romulus solus urbem Romam condidit.

15. *Romulus the God* (5)

Romulus, primus Romanorum rex, non solum urbem condidit, sed etiam bello firmavit. Sabinos enim vicit et cum populo Romano coniunxit. Sic Roma non solum muros validos sed etiam cives multos habuit.

Romuli insignis erat vita, insignis etiam mors. Dabat forte populo iura. Fuit repente tempestas: solem nubes celaverunt imberque magnus e caelo descendit. Populum timor movit omnesque terga verterunt. Inde post

[1] = jumped over.

tempestatem cives regem suum petunt, sed nec in sede
10 regis vident nec usquam inveniunt. Romulus enim iam
in terra non erat: in caelum, ut credebant, ad deos
ascenderat.

Tum venit ad populum vir clarus, Proculus Iulius.
"Romulus," inquit, "pater urbis nostrae, e caelo mihi
15 repente descendit. Divina erat forma eius; mira verba
dixit, quae me populo Romano nuntiare iussit: 'Erit mea
Roma caput orbis terrarum clarique armis erunt Romani
omnesque gentes bello superabunt.'"

Credebat populus: "Romulus," inquit, "ad caelum
20 volavit neque iam eum inter nos videbimus." Romulum
exinde Romani Quirinum deum vocabant.

GRAMMAR (Passages 16–20):
Nouns of the 4th and 5th declensions
Reflexive pronouns

16. *Horatius holds the Bridge* (1)

Post Romulum regnabant in urbe Roma alii reges,
quorum ultimus erat Tarquinius Superbus, qui non
Romanus erat, sed Etruscus. Eum propter superbiam
populo non gratum cives ex urbe fugaverunt. Rex auxi-
5 lium Etruscorum petivit copiisque magnis ad urbem
appropinquavit. Pons erat in fluvio Tiberi: quo ponte
omnes propter timorem hostium ex agris in urbem contenderunt salutemque intra muros petiverunt. Magnum
erat periculum, magna tamen virtus viri clari, cuius no-
10 men erat Horatius. Is, ubi fugam civium suorum vidit,
ipse sua manu eos retinebat magnaque voce "Cives mei,"
inquit, "si pontem hostibus tradideritis,[1] mox eos in

[1] The future or future-perfect indicative after 'si' or 'nisi' should be translated by the present indicative in English.

Capitolio foroque Romano videbitis. Una salutis spes
vobis est mea verba audire. Vos pontem delere iubeo;
ego interea hostium adventum impediam." 15

17. *Horatius holds the Bridge* (2)

Constitit Horatius in ponte solus contra multos; saevis
oculis hostes spectat, ad pugnam provocat. Diu Etrusci
virum intrepidum timebant, inter se[1] spectabant. Tandem pudor eos vicit, magnoque clamore omnes tela in
unum hostem iactaverunt. Horatius magna virtute 5
impetum sustinebat scutoque se defendebat. Audivit
repente a tergo clamorem Romanorum, qui pontem
deleverant. Tum Horatius, qui multa vulnera habebat
nec viam aliam fugae videbat, deum fluvii invocavit.
"Tiberine pater," inquit, "tuo fluvio me cum armis 10
meis mando", simulque se a ponte in aquam misit. Inde
tutus per tela hostium ad ripam venit. Laudaverunt
eum cives, quod solus in ponte contra omnes copias
hostium constiterat, poetaeque multi de virtute eius
cantabant. 15

18. *The Bravery of C. Mucius* (1)

Iam urbs in magno periculo fuit; nam Etrusci, quorum
dux erat rex Porsenna, copias non procul a muris habebant. Inter Romanos erat iuvenis intrepidus, nomine
C. Mucius, qui consilio audaci patriam servare constituit.
Ad senatum venit: "Patres," inquit, "consilium habeo 5
quo nos urbemque nostram periculo liberabo. Si vobis
placet, ego solus hostium castra intrabo et, si dei rem tam
audacem adiuvabunt, regem Porsennam occidam." Laudant patres virtutem eumque in rem periculosam mittunt.

[1] = at each other.

Iuvenis, ubi gladium intra vestem celavit, in hostium castra contendit.

Ubi eo venit, turbam magnam militum circum regem vidit. Erat forte prope regem scriba, qui pecuniam militibus dabat. Quod rex scribaque vestem similem habebant, Mucius, cui Porsenna non erat notus, gladium statim sumpsit scribamque pro rege occidit. Servi ad Mucium cucurrerunt eumque ex fuga ad regem traxerunt.

19. *The Bravery of C. Mucius* (2)

Constitit Mucius solus ante regem, sine armis, sine timore. "Romanus sum," inquit, "civis; me C. Mucium vocant. Ego, qui tibi mortem paravi, nec ipse mortem timeo nec solus sum. Bellum contra te gerimus iuvenes Romani, multique post me venient, qui mortem tuam petent." Rex et timore et ira plenus erat, sed Mucius verba sua re mira confirmavit.

In ara prope regem forte ignis erat. Ante oculos regis iuvenis intrepidus manum velut sine dolore in igne tenebat. "Signum," inquit, "tibi erit manus mea igne torrida. Ego nec hostem nec dolorem timeo. Dolorem enim contemnit is qui magnam gloriam petit." Verbis suis Mucius animum regis magnopere movit. "Te," inquit, "iuvenis intrepide, et timeo et laudo. Nunc ob virtutem tuam liberum te tutumque ad tuos mitto."

Sic Mucium, qui sine ulla spe salutis in hostium castra venerat, mira virtus servavit.

20. *The Advice of Menenius Agrippa*

Olim fuit inter Romanos discordia: nam milites, quos consules ex urbe in bellum ducebant, contra duces suos inter se coniuraverant, nec in hostes contenderant sed in Montem Sacrum, qui non procul erat ab urbe, disces-serant. Magnus erat timor Romanorum qui in urbe 5 manserant. Constituerunt tandem Menenium Agrip-pam, virum propter eloquentiam notum militibusque carum, ad eos mittere. Is, ubi in Montem Sacrum venit, fabulam eis narravit.

"Fuit olim in corpore," inquit, "magna discordia: 10 partes enim corporis in concilium venerunt, omnesque simul ventrem magno clamore culpabant. 'Nos,' in-quiunt, 'semper laboramus; venter ignavus in medio corpore manet, nunquam se movet, sed cibum semper sumit quem nos labore nostro ei damus.' Itaque coniura- 15 verunt inter se manus, os, dentes. Manus 'Cibum,' in-quit, 'ad os non movebo'. Et os 'Ego,' inquit, 'cibum non sumam': dentesque 'Nos,' inquiunt, 'cibum non devorabimus'. Itaque mox venter in magno periculo erat propter inopiam cibi. Non tamen ventrem vicerunt 20 partes corporis, sed ipsae in periculum mortis venerunt. Nam sine ventris auxilio sanguinem, quem venter corpori reliquo praebet, non habuerunt."

Verba Agrippae militibus placuerunt. "Si nos," in-quiunt, "hic manebimus, discordia nostra totam urbem 25 delebit." Sic fabula viri sapientis milites a Monte Sacro in urbem reduxit.

CHAPTER THREE

THE QUEST OF THE GOLDEN FLEECE

IN TEN PARTS

We return to Greece for the story of Jason and his Argonauts. This adventure was pictured as earlier than the Trojan war, for many of Jason's companions are the fathers of the Greek heroes at Troy. In this book the story of Troy was told first because it is even better known than that of Jason. Again an attempt has been made to give you the story from its beginning.

This legend was a great favourite with the sea-faring Greeks. It may depict in fable the adventures of the Greek traders who first braved the stormy waters of the Euxine.

GRAMMAR (Passages 21–25):
Comparison of adjectives
The verb *eo* and its compounds

NOTE: Remember the various meanings of the comparative and superlative: e.g. *latior*—wider, more wide, too wide; *latissimus*—widest, most wide, very wide.

21. *The Origin of the Fleece* (1)

Phrixus erat filius, Helle filia Athamantis, qui postea uxorem novam, cui nomen Ino erat, in matrimonium duxit. Ino, quae erat forma insignis sed mente crudelissima, liberos ob invidiam occidere constituit. Erat tum

III The Lion Gate at Mycenae
City of Agamemnon

IV Death of Laocoon (*See Passage 9*)

per terram maxima cibi inopia et Ino "Morte," inquit, "miserrima peribimus, nisi statim Phrixum deis iratis sacrificabimus."

Sed Mercurius deus auxilium liberis parvis paravit. Arietem mirum e caelo misit, qui vellus aureum pennasque longas habebat. Nocte venit aries silentio ad terram et liberis "Ino," inquit, "mortem vobis parat: iam tempus est abire mecum.[1] Iter periculosum inibitis, sed tutius erit sine mora discedere quam fatum miserum hic exspectare."

Inde liberi intrepidi in tergum arietis ascendunt et vellus aureum manu tenent. Volat aries statim in caelum et pennis celeribus eos per nubes, per obscuram stellarum lucem portat. Stupent liberi magis quam timent et mox, ubi lux prima solem reducit, e sede alta insulas maris, Asiae urbes, fluvios, silvas attoniti spectant.

Sic ambo liberi salutem petunt, sed non ambo mortem vitant: Helle enim itinere longo defessa clamore magno a tergo arietis in mare cadit, quod ab ea nomen Hellespontum adhuc habet. Phrixus tutus in terram Colchorum venit, quorum rex Aeetes puerum salutavit et arietem divinum Iovi sacrificavit. Magna cura servavit Aeetes vellus aureum, quod exinde draco in silva finitima custodiebat.

22. *Jason is ordered to seek the Fleece* (2)

Nunc vobis, lectores, fabulam Iasonis narrabimus, qui cum multis et claris viris ad terram Colchorum navigavit. Filius erat Aesonis, quem frater Pelias ex urbe Iolco expulerat.

Quam ob iniuriam iratus Iason regnum paternum a patruo petere constituit. Itaque ad urbem Iolcum iter

[1] *cum* = 'with' is added *after* the ablatives *me, te, nobis, vobis, se, quibus.*

longum solus iniit. Mox ad fluvium latissimum venit quem primo transire timebat. Tum in ripa anum repente vidit, quae auxilium voce humili rogavit: "Non est mihi," 10 inquit, "ut tibi, corpus validum; si per aquam portabis, me miseram magnopere adiuvabis."

Verba feminae animum intrepidum Iasonis movent neque iam aquam inire timet. Descendit in ripam, fluvium intrat et tandem defessus anum tutam ad alteram 15 ripam portat. Sed ibi rem miram videt: repente formam suam mutat anus, nec iam feminam videt Iason, sed deam, verbaque mira audit. "Ego," inquit, "Iuno sum et, quod me adiuvisti, auxilium meum exinde tibi promitto."

Sed Iason in fluvio soleam amiserat et altero pede nudo 20 in regnum patrui venit. Quem ubi vidit, Pelias magnopere timebat nam dei eum iusserant virum pede nudo cavere. Itaque ubi Iason magna voce regnum paternum rogavit, Pelias eum vellus aureum a Colchis petere iussit. Sic Pelias in maximum periculum Iasonem misit, nam 25 morte eius salutem sibi sperabat.

23. *The Building of the 'Argo'* (3)

Iason ad se vocavit Argum, fabrum notissimum; cui "Pelias," inquit, "me vellus aureum petere iussit: si mihi navem celerrimam arte tua aedificabis, gloriam maximam inter Graecos omnes habebis." Verba Iasonis Argo 5 placebant neque solum navem aedificare sed cum Iasone ipse ire constituit. Auxilio Minervae navem miram (cui nomen 'Argo' dedit) fabricavit, quae sine gubernatore per undas maris navigabat.

Inde nuntii principes Graeciae clarissimos ad urbem 10 Iolcum ire iusserunt: "Auxilium vestrum," clamabant, "rogat Iason, qui Graecorum fortissimorum auxilio iter periculosum inibit. Si virtutem amatis, gloriam aeternam cum Iasone comparabitis." Tum ad Iasonem venerunt principes quinquaginta, quos a nomine navis "Argonautas" vocamus. Erant inter eos Hercules propter labores suos notissimus, Castor et Pollux Iovis filii, Peleus Achillis pater, Orpheus qui carminibus pulcherrimis feras et arbores et saxa post se ducebat. 15

Iam tempus erat a Graecia discedere et Iason suos iussit navem in mare trahere. Vi maxima Argonautae diu laborabant sed navis erat gravissima neque e loco suo se movit. Tum Orpheus "Non vi," inquit, "sed carmine meo navem movebimus." Arte mira cantat Orpheus et simul ad mare appropinquat: ecce navis vocem divinam audit et ipsa sine Argonautarum auxilio mare libenter intrat. 20 25

24. *First Adventures of the Argonauts* (4)

Iam navis Argo per undas longas maris Aegaei silentio volabat: remis validis eam impellebant Argonautae, nunquam labore defessi quod carmina dulcissima Orphei animos semper delectabant. In itinere multas res novas viderunt, pericula multa obierunt, quorum nunc pauca vobis narrabimus. 5

Ad insulam Lemnum venit Argo, ubi feminae solae habitabant: nam propter iniurias iratae viros suos omnes occiderant. Argonautas tamen libenter salutaverunt et convivium magnum eis paraverunt. Sed postea, "Argonautae," inquit Iason, "nobis tempus est abire neque hic semper ignavi manere debemus." Tum tristes ad oram maritimam descendunt et remis longis navem e portu impellunt. 10

Mox nautis erat aquae inopia et puer Hylas, qui Herculis amicus erat, fontem in terra petebat. Quem ubi invenit, faciem suam in aqua serena diu spectat: deae 15

fontis tandem puerum pulchrum in aquam traxerunt neque iam eum viderunt Argonautae. Hercules statim
20 navem reliquit et dolore magno magnisque clamoribus amicum suum petebat.

In terra Bithynia regnabat Amycus, pugil clarissimus, qui advenas omnes ad pugnam provocabat et multos iam occiderat. Ex Argonautis pugnam iniit Pollux iuvenis,
25 quem statura minorem rex ingens contempsit. Sed Pollux pedibus celerior non solum regem crudelem vicit sed etiam superbiam eius morte punivit.

25. *The Adventure of the Clashing Rocks* (5)

Iam Argo ad Mare Euxinum, quod nos 'Mare Nigrum' vocamus, appropinquabat. Hodie naves per fretum Bosporum Mare Euxinum tutae intrant, sed Argonautis, qui omnium nautarum primi huc venerunt, periculosissi-
5 mum iter erat.

Nautae enim strepitum ingentem repente audiunt; timore pleni se vertunt; rem miram attoniti spectant. Non procul a nave saxa altissima vident, inter quae fretum angustum in Mare Euxinum ducit. Paulisper saxa im-
10 mota manent, repente magno strepitu concurrunt neque viam ullam navibus relinquunt. Stupent Argonautae et "Ad Graeciam redibimus," inquiunt, "nulla enim spes salutis nobis erit, si inter saxa crudelissima navigabimus."

Sed Iason "Symplegadas,"[1] inquit, "videtis, de quibus
15 nos admonuit Phineus vates et omina secunda a deis petere iussit." Inde, ut iusserat vates, Iason columbam inter saxa misit. "Si avis," inquit, "tuta redibit, nos quoque mortem vitabimus." Inter Symplegadas volavit avis celeris; concurrerunt saxa ingentia sed tuta ad
20 Iasonem rediit columba.

[1] 'Symplegadas' (acc.) = the Clashing Rocks.

Quo augurio laetus Iason suos navem maxima vi impellere iubet. Per fretum angustum volat Argo; frustra concurrunt saxa saeva et deorum auxilio Argonautae Graecorum primi mare Euxinum spectant.

Exinde immota se tenebant saxa et hodie ob Iasonis virtutem naves per fretum Bosporum sine periculo navigant. 25

GRAMMAR (Passages 26–30):

Present and perfect indicative passive
The demonstratives *hic* and *ille*
Simple expressions of time

NOTE: Expressions of time appear in the ablative or in the accusative. The ablative is translated by the prepositions 'at', 'on' or 'in'; the accusative by the prepositions 'for' or 'during'.
e.g. *prima luce*—at dawn; *sex noctibus*—in six nights; *multas noctes*—for many nights.

26. *The Arrival in Colchis* (6)

Inde Argonautae, ubi ad partes ultimas Maris Euxini navigaverunt, ad terram Colchorum venerunt, quorum rex erat Aeetes. Sine mora Iason regem adiit: "vellus aureum," inquit, "arietis illius, qui huc a Graecia volavit, ad Graeciam reportare iussus sum: si id mihi dabis, sine 5
bello statim a regno tuo discedam."

"Non bello," respondit Aeetes, "sed laboribus tuis, Iason, vellus aureum habebis. Sunt mihi tauri ingentes, qui flammas ex ore spirant: hos solus aratro coniungere et agrum Marti sacrum arare debes. In hoc agro dentes 10
draconis seres; statim e terra viros multos surgere videbis, qui te omnibus viribus oppugnabunt. Hos omnes si

occideris, labor unus tibi manebit. A dracone saevo, qui nunquam dormit, vellus in silva finitima custoditur. Si 15 hoc quoque periculum superabis, Iason, libenter tibi dabo id quod petis."

Quos labores ubi Iason audivit, magnopere territus est et ad navem amicosque tristissimus abiit. "Nisi deus adiuvabit," inquit, "aut hic peribo aut ad Graeciam sine 20 vellere redibo, nam hi labores paene divini viribus humanis non superantur."

Sed non frustra Argonautae ad Colchos navigaverant; dei enim auxilium Iasoni misero parabant.

27. *The Love of Medea for Jason* (7)

Ubi Iason Aeetem adiit vellusque aureum ab eo petebat, Medea, regis filia, virtute et facie et verbis iuvenis Graeci magnopere mota est. Ad eum puella oculos semper vertebat et voce eius delectabatur. "Iuvenem," 5 inquit, "tam intrepidum nunquam antea vidi, qui in itinere longo omnia pericula maris obiit et virtute insigni etiam Argonautas suos superat." Sic Medea amore magno Iasonis incensa est.

Itaque, ubi pater Iasonem tauros coniungere, dentes 10 serere, draconem vincere iussit, Medea dolore magno multisque lacrimis ad ancillam fidam cucurrit. "Tu mihi," inquit, "consilium dabis. Hunc iuvenem Graecum vides, qui ad terram nostram venit. Pater meus ad mortem crudelem eum mittit. Ego, quae amore eius 15 incendor, eum servare timeo: pudore enim et ira patris mei impedior." "Amor," respondit ancilla, "omnia vincit. Nisi tu tuis artibus magicis iuvenem servaveris, tu ipsa amore saevo peribis."

Placent Medeae verba ancillae. Nocte e regia silentio 20 discessit: per lucem obscuram ad portum descendit:

Iasonem e somno excitavit. "Medea sum," inquit, "Aeetis regis filia. Te in regia hodie vidi et in laboribus tuis te adiuvare constitui. Sine me cras peribis, meo auxilio mortem vitabis." "Quomodo tu puella," respondit Iason, "me his periculis liberabis?" "Unguentum," 25 inquit Medea, "tibi magicum dabo, quod ab omni vulnere corpus tuum defendet: si me tecum ad Graeciam duces, tuum cras erit vellus aureum." Hoc libenter promisit Iason et animo iam laetiore diem posterum exspectabat.

28. *How Jason surprised the Colchi* (8)

Postero die ad agrum Martis venit magna turba Colchorum Argonautarumque et in collibus, qui prope erant, consedit. Mox Iason, forma armisque insignis, agrum iniit et simul ex altera parte tauri saevi in eum missi sunt. Tum res mira ab omnibus visa est. Immotus Iason 5 tauros exspectavit neque flammis, quas ex ore spirabant, incensus est: sine timore tauros coniunxit, agrum aravit, dentes draconis sevit. Attonitus Aeetes e sede surrexit et magna ira "Non sine auxilio," inquit Medeae, "hic advena tauros meos vicit." 10

Interea surgunt e terra viri multi, qui Iasonem telis oppugnare parant. Is tamen per fallaciam impetum eorum a se vertit. In medios hostes saxum ingens iactat, quod discordiam bellumque inter eos movet. Inter se diu pugnant; multi in hoc proelio pereunt; reliquos 15 paucos occidit Iason.

Tum Argonautae magno gaudio ad navem redierunt et Iasonem victorem salutaverunt. Sed Aeetes regiam suam iratus iniit et filiam ad se statim vocavit. "Medea," inquit, "advenam contra patrem adiuvisti, nam in hac re 20 tuas artes magicas video. Sed manet etiam unus labor. Si cras auxilio tuo Iason draconem superabit, qui vellus aureum custodit, tu morte crudelissima peribis." Medea nihil respondit sed in animo consilium novum parabat.

29. *The Escape with the Fleece* (9)

Nocte Medea iterum navem Graecorum petivit et secum fratrem parvum Absyrtum duxit. Iasoni "Pater meus," inquit, "iratus est, quod tu labores hodie tutus obiisti. Supplicium mihi, mors tibi paratur, nisi statim 5 cum vellere ab hac terra clam discedemus." Surgit sine mora Iason et cum Medea ad silvam finitimam appropinquat, in qua vellus celatur.

Silentio per silvam ibant ambo et repente lucem auream velleris viderunt, quod ex arbore pendebat. Sed simul 10 eos vidit draco, qui locum custodiebat, et dentibus saevis oppugnare paravit. Tum Iason herbas magicas, quas dederat Medea, in oculos draconis iactavit et "Nunc tu dormies," clamavit, "qui nunquam dormivisti." Statim somnus altissimus oculos draconis occupavit: laetus Iason 15 vellus aureum ad navem portavit.

Ibi Argonautas ad concilium vocavit et vellus eis monstravit. "Id tandem habemus," inquit, "quod multis periculis diu petivimus; sed rex Aeetes vim contra nos parat. Ante primam lucem e portu navigare et terram 20 Colchorum relinquere debemus."

Tum omnes libenter laborabant: mox navis Argo e portu cum Medea Absyrtoque clam discessit et vellus ad Graeciam portabat.

30. *Death of Absyrtus: Return to Greece* (10)

Nuntius ad regiam Aeetis prima luce cucurrit. "O rex," clamavit, "abierunt Argonautae cum Medea et Absyrto: ipse navem e saxo alto vidi." Tum Aeetes iratus suos ad arma vocavit, navem celerrimam paravit, e portu navigavit. 5

Ubi Medea navem patris non procul a nave sua vidit, consilium crudele iniit. Fratrem Absyrtum sua manu occidit et corpus eius in multas partes discidit, quas in mare iactavit. Itaque Aeetes saepe consistebat et corpus filii miseri colligebat: hac mora Argonautae ab ira regis 10 servati sunt.

Inde per multas terras errabant et in multa pericula ducti sunt, quae postea Ulixes quoque in itinere suo obiit. Ad insulam Circes,[1] Aeetis sororis, venerunt, quae artibus magicis etiam Medeam superavit. Sirenum carmina tuti 15 audiverunt, nam Orpheus eis carmina dulciora cantavit. Per fretum Messanae navigaverunt, ubi ex altera parte Scylla nautas devorat, ex altera Charybdis in voraginem suam naves trahit. Tandem Iason victor cum vellere aureo ad urbem Iolcum rediit et Medeam in matrimo- 20 nium duxit.

Hanc fabulam, quam legistis, Graeci magnopere amabant.

[1] Genitive Case of 'Circe'.

CHAPTER FOUR

FURTHER ROMAN STORIES: SCIPIO; ARCHIMEDES

In this chapter we see Rome establishing her sway over her Italian neighbours in the 5th and 4th centuries B.C. and later, from 264 to 202 B.C., fighting the Carthaginians for the rule of the Mediterranean.

The stories chosen exhibit some of the qualities of the great Romans of early days: the determination of Camillus, the stern devotion to duty of the consul Manlius, the patriotism and self-sacrifice of Decius and the virtue and generosity of Scipio.

GRAMMAR (Passages 31–35):

The verbs *volo*, *nolo*, *malo*, *fero* and *possum*
The imperative mood of the four conjugations

31. *The Schoolmaster of Falerii*

Obsidebant olim Romani urbem Etruscorum, cuius nomen erat Falerii, nec expugnare poterant. Sed inter Faliscos erat magister, cui principes urbis liberos suos mandaverant. Is antea in pace pueros cotidie ex urbe
5 duxerat, quod non solum animos sed etiam corpora eorum exercere volebat. Nunc consilium perfidum iniit; pueros enim in castra Romana ad Camillum, qui tum fuit imperator Romanorum, duxit. "Ego," inquit, "ad te, Camille, liberos duxi, quorum patres sunt primi Falis-
10 corum cives eosque tibi tradere volo. Sic urbem Falerios in potestate tua habebis."

Quae ubi audivit Camillus, "Scelestus ipse," inquit,

"cum scelesto dono huc venisti. Sunt belli, sicut pacis iura: nos Romani bella semper iuste gerere volumus. Arma ferimus non contra liberos, qui se defendere non possunt, sed contra viros, qui vulnera possunt et dare et ferre. Tu liberos scelere vicisti; ego te Romanis artibus, virtute armisque, vincam." Inde liberis magistrum tradidit; qui virum scelestum virgis in urbem egerunt. Ad illud spectaculum concurrunt cives, fidem Romanam laudant, pacem poscunt. Nuntii ad Camillum missi sunt: urbs Falerii omnium civium consilio Romanis tradita est.

32. *Camillus saves Rome* (1)

Initio saeculi ante Christum quarti venerunt ex Alpibus Galli, novi Romanorum hostes; qui cum ingenti hominum turba magnam Italiae partem vastaverunt ipsamque urbem incenderunt. Tandem post proelia multa a Camillo victi sunt et urbs Romana liberata est. Romani tamen, qui in tam gravi periculo fuerant, propter timorem in urbe manere nolebant. "In Etruriam," inquiunt, "ad urbem Veios cum uxoribus liberisque abire ibique novam urbem condere malumus. Sic tuti ab hostibus erimus."

Senatus rem Camillo mandavit; qui civibus "Nos Romani," inquit, "nec in rebus secundis nec in adversis deorum cultum unquam negleximus. Si proelio victi sumus et hostes ad urbem nostram appropinquaverunt, res sacras aut in terra celavimus aut in finitimas urbes procul ab hostium oculis tulimus. Itaque dei nobis patriam et victoriam et belli gloriam reddiderunt hostesque nostros in fugam verterunt. Maximum igitur scelus paramus, si nos, qui a deis servati sumus, nunc deos relinquere volumus!"

33. *Camillus saves Rome* (2)

His verbis cives moti sunt: libenter Camillum audiebant. "Urbs nostra," inquit, "a Romulo deorum auxilio condita est. Hic sunt dei nostri, hic patria nostra. Mihi, dum contra hostes nostros pugnabam, saepe in mentem veniebant colles campique et Tiberis fluvius et locus in quo educatus sum. Non sine causa dei hunc locum urbi delegerunt, qui colles pulcherrimos, fluvium quo nobis omnia ex omni parte feruntur, mare vicinum sed ab hostibus tutum, sedem magno populo aptam habet. Hic vos tria iam saecula habitavistis: hinc Volsci, Aequi, Etrusci, populi potentissimi, a vobis bello sunt victi. Urbis locum mutare potestis, si vultis: fortunam loci vobiscum ferre non potestis. Hic Capitolium est, hic Vestae ignis, hic dei, qui vos adiuvabunt si manere vultis."

Dixerat Camillus: sed cives adhuc dubitabant. Tum forte contendebant per forum milites quidam; quorum centurio clamavit: "Signifer, statue signum;[1] hic consistemus." Vox eius a senatu populoque audita est et omen secundum eis erat. In patria igitur sua manere constituerunt.

34. *The Story of Manlius* (1)

NOTE: *is, ea, id*, as well as meaning 'he, she, it', can also be a demonstrative. It is then translated 'that' 'those'. See Line 14 below.

Romani bellum contra Latinos gerebant. Erat forte inter duces equitum consulis filius, T. Manlius; qui explorator missus est nec procul a castris hostium constiterat. Ibi Tusculani erant equites, quorum dux erat

[1] = plant the standard (in the ground).

Geminus Maecius, vir et gente et virtute clarus. Is, ubi consulis filium vidit, verbis audacibus eum ad pugnam provocavit. "Vos, Romani," inquit, "pauci estis. Ubi sunt exercitus vestri consulesque?" Ad haec Manlius "Mox venient illi" inquit, "et cum eis veniet ipse Iuppiter, cuius auxilio omnes copias vestras vincere poterimus." Inde Maecius "Interea," inquit, "si tu vis, ego tecum solus pugnare volo. Sic omnes meam virtutem, ignaviam tuam videbunt."

Sed eo forte die consul, T. Manlii pater, qui propter severitatem suam notissimus erat, omnes milites Romanos vetuerat in pugnam extra aciem exire. Id Manlio notum erat; sed movit fortem iuvenis animum hostis superbia patrisque imperium neglegere potius quam pugnam vitare maluit. Ira igitur plenus contra Maecium processit.

35. *The Story of Manlius* (2)

Concurrerunt Manlius Maeciusque. Ambo tela iactaverunt; ambo primum impetum vitaverunt telaque frustra super capita equorum volaverunt. Iterum Manlius equum suum ad impetum vertit, Maeciique equum inter aures telo vulneravit. Equus vulneris dolore excitatus est: Maecius in terram cecidit. Surgere voluit sed non potuit, statimque a Manlio occisus est.

Manlius in castra magno gaudio rediit spoliaque hostis patri monstravit. "Pater," inquit, "filius consulis sum. Nemo me ignavum vocabit. Hostem, qui me provocavit, occidi. Nunc tibi haec spolia fero."

Consul tamen nihil respondit, sed, ubi milites in concilium vocavit: "Tu," inquit, "T. Manli, quod nec consulis nec patris tui auctoritati paruisti, sed contra imperium meum extra aciem cum hoste pugnavisti, disciplinam militarem violavisti, meque coegisti aut te punire aut officium meum neglegere. Triste hoc erit exemplum, sed rei publicae utile."

Quae ubi dixit, lictorem vocavit eumque iussit T. Man-
20 lium occidere.

Sic pater Romanus filium ad supplicium tradere quam disciplinam neglegere maluit.

GRAMMAR (Passages 36–40):

Remaining tenses of the indicative passive
Formation of adverbs

36. *The Patriotism of P. Decius Mus*

Eodem bello Romani non procul a monte Vesuvio contra Latinos pugnabant. Primum impetum hostium fortiter sustinebant, mox vi Latinorum cedere cogebantur. In hoc periculo consul Decius vitam suam pro salute
5 exercitus deis devovere constituit, sacerdotemque vocavit, qui curam cultus deorum habebat.

Ille Decium caput suum toga celare et haec verba dicere iussit: "Iane, Iuppiter, Mars Pater, qui potestate vestra milites nostros hostesque regitis, dique[1] Manes, audite;
10 date Romanis victoriam, in hostes timorem mortemque vertite: ego pro re publica, pro exercitu, pro populi Romani legionibus exercitum legionesque hostium mecum deis Manibus devoveo."

Quae verba ubi consul dixerat, ante oculos omnium
15 armatus in equum ascendit deoque similior quam homini in medios hostes contendit. Latini impetu eius territi sunt nec adventum sustinere poterant, sed, ubi processerat Decius, terga vertebant. Tandem Decius telis hostium occisus est; Romani in pugnam redierunt hostesque
20 fugaverunt. Mox Decii corpus invenerunt magnoque honore sepeliverunt.

[1] 'di' (nom. or voc. case) is another form for 'dei'.

37. *The Youth of Scipio*

Hannibal erat dux Poenorum clarissimus. Is, quod propter odium Romanorum imperium Romanum delere volebat, exercitum magnum trans Alpes duxit et in campis, qui circum Padum fluvium sunt, primum cum consulibus proelium commisit. Eo proelio Romani, qui impetum equitum Poenorum ferre non poterant, facile superati sunt, consulque ipse vulneratus et paene circumventus est. Sed unus eques Romanus consulis periculum viderat auxiliumque ei tulit. Is iuvenis filius consulis erat, Cornelius Scipio, qui postea, ubi Hannibalem in Africa vicerat, "Africanus" vocatus est.

Scipio, qui tam fortis in periculo patris fuerat, postea se etiam fortiorem in maiore rei publicae periculo praebuit. Romani iterum ab Hannibale ad Cannas gravissima clade victi erant: exercitus deleti erant; urbs ipsa in ingenti periculo erat. Scipio post proelium cum reliquis tribunis de re publica deliberabat. Iuvenes quidam nobiles, qui omnem victoriae spem amiserant, Italiam Romamque relinquere volebant salutemque trans mare petere. Omnes tribuni ignavia horum iuvenum moti sunt. Sed Scipio agere potius quam deliberare maluit; gladium sumpsit eumque super capita iuvenum tenuit. "Ego," inquit, "nec rem publicam relinquam nec alios eam relinquere sinam." Iuvenes, qui Scipionem magis quam ipsum Hannibalem timebant, consilium mutaverunt seque captivos Scipioni tradiderunt.

38. *Scipio in Spain*

Mox Poeni non solum magnam Italiae partem sed etiam Hispaniam in potestate sua habebant. Ibi duo duces, ambo ex gente Scipionum, occisi erant; nemo

imperium in Hispania sumere volebat. Repente iuvenis
5 quidam in forum ivit et in loco constitit ubi omnes eum
videre poterant, populoque "Ego," inquit, "hoc imperium
petere volo."

Is fuit idem Scipio, iuvenis tum viginti quattuor
annorum. Cuius verba ubi audiverunt, omnes eum
10 clamore magno salutaverunt, et a maiore parte civium
imperator est creatus.

Mirus is erat iuvenis: ex quo tempore[1] togam virilem
sumpserat, in Capitolium cotidie ibat, templum Iovis
inibat, solus ibi tempus clam agebat. Divinum, ut crede-
15 bant cives, ingenium eius erat. Itaque non sine spe
imperium huic iuveni mandaverunt.

Scipio statim in Hispaniam ad exercitum contendit.
"Milites mei," inquit, "fortes viri estis qui in Hispania
tam diu pugnatis. Nunc neque nos Hispaniam relinque-
20 mus nec hostes hic manere sinemus. Poeni multis proeliis
nos vicerunt sed tandem fortuna mea vestraque virtute
victoriam reportabimus. Mox tota Hispania erit nostra."

Nec longa mora fuit: mox Scipio Carthaginem Novam,
urbem Hispaniae validissimam, expugnaverat Poenosque
25 ex Hispania paene expulerat.

39. *Scipio frees a Prisoner*

Ubi Carthago Nova expugnata erat, captiva ad Scipionem ducta est, puella Hispana pulcherrima, quae oculos
omnium in se vertebat; ea a principe quodam Hispano
amabatur. Quam ubi Scipio vidit, statim et parentes
5 eius et principem illum Hispanum ad se vocavit, iuve-
nique "Ego quoque," inquit, "iuvenis sum nec possum
puellam tam pulchram non amare. Quod tamen tua est,
tutam eam tibi reddo. Mihi satis magnum praemium

[1] 'from the time when'.

V Forum Romanum (*See Passage 54*)

VI The Altar of Peace of Augustus
A Sacrificial Procession

erit, si tu mihi populoque Romano amicus eris. Hoc etiam credere debes: multi mihi similes in re publica Romana sunt nec ullum hodie populum in orbe terrarum invenire poteris qui Hispanis magis amicus esse vult quam Romani." Princeps magno gaudio motus est: dextram Scipionis tenuit deosque omnes invocavit. 10

Sic Scipio in Hispania magnam famam comparavit: iuvenis deis similis, ut credebant Hispani, in terram suam venerat, qui non solum armis sed etiam beneficiis hostes suos vincere poterat. 15

Postea Scipio non solum Hispaniam sed etiam Hannibalem ipsum in Africa superavit. Mox Romani per victorias Scipionis aliorumque ducum orbem terrarum totum imperio suo tenebant. 20

40. *Archimedes*

Eodem bello, quod a Romanis contra Poenos gestum est, consul Romanus Syracusas, urbem Siciliae maximam, terra marique obsidebat murosque omni genere machinarum oppugnabat. Sed erat tum in urbe homo quidam, qui mira sua arte Syracusanos adiuvabat. Archimedes is erat, vir Graecus, artis mathematicae peritus, qui non solum caelum stellasque observabat, sed etiam novas belli machinas invenerat. 5

Romani in navibus suis machinas multas posuerant, quae in eam partem muri, quae prope mare erat, multitudinem telorum iactabant. Contra eas Archimedes non solum tormenta, e quibus saxa ingentia mittebantur, sed etiam machinas cum manibus ferreis[1] in muris collocaverat: his machinis primo naves Romanae ex aqua trahebantur, deinde, ubi manus relaxatae erant, naves repente cum magno nautarum timore cadebant. 10 15

[1] 'manus ferreae' (f.pl.) = 'iron claws'.

Omnes tamen Archimedis machinae Syracusanos non servaverunt. Consul tandem cum copiis suis urbem iniit militesque urbem vastaverunt. Archimedes, victoriae 20 Romanorum ignarus, tum formas mathematicas spectabat, quas in terra scripserat. Invenit eum miles Romanus; qui Archimedem, quod ei non erat notus, statim gladio occidit. Marcellus consul aegre mortem eius tulit.

Exinde ob sapientiam magnam semper in memoria 25 hominum nomen Archimedis habitum est.

CHAPTER FIVE

THE WARS OF GREECE AND PERSIA

IN TEN PARTS

The next ten passages have a Greek background, but this time they are fact, not fable. In 500 B.C. the mighty Persian empire tried to expand westwards by subduing the Greek peninsula. The Greeks were few in numbers and poor in resources, but, as you will read, they hurled back the hordes of the invaders.

If the Greeks had been conquered and their language and literature suppressed by Persian tyrants, the history of Europe up to this day would have been altered. In a very real way the Greeks who fought at Marathon, Salamis and Plataea were fighting for the liberty that we still enjoy.

GRAMMAR (Passages 41–45):
Mixed verbs *capio*, *facio*, etc.
The verb *fio*

41. *Darius invades Europe* (512 B.C.) (1)

Darius, ubi rex Persarum factus est, omnes Asiae gentes in regno suo habuit. Itaque ad Europam oculos vertit et has quoque terras imperio Persarum addere constituit. Magnis igitur copiis fretum Bosporum transiit et primo impetu terram Thraciam facile occupavit. Deinde in fluvio Histro pontem fecit et contra Scythas contendit. 5

Sed Scythae, qui cum Persis in acie pugnare nolebant, consilium sapiens inierunt. Ubi uxores liberosque suos

in loca tuta miserunt et frumentum omne ex agris porta-
10 verunt, ipsi semper se recipiebant, semper terga vertebant et tandem hostes in loca deserta procul ab Histro duxerunt.

Tum Darius longis itineribus defessus regi Scytharum "Consiste," inquit, "et in acie pugna. Fuga victoriam nunquam reportare poteris." "Erras," respondit rex
15 Scythicus, "hac enim fuga ego victor ero. Tu, nisi per caelum volaveris, cibi inopia in media terra mea misere peribis." Quibus verbis Darius magnopere territus est neque iam victoriam sed salutem in animo habebat. Celerrime se recepit et ponte, quem socii custodiverant,
20 laetus fluvium Histrum transiit.

Terram Scythicam hodie "Russiam" vocamus, cuius incolae in eis bellis, quae primum cum Gallis et postea cum Germanis gesserunt, se eodem modo defenderunt.

42. *The Ionians revolt and burn Sardes* (499–497 B.C.) (2)

Multi olim Graeci, qui a Doribus oppugnabantur, e patria ad Asiam navigaverunt et in Ionia Miletum et Ephesum et alias urbes clarissimas condiderunt, quae per mercaturam divitias magnas comparaverunt. Sed tan-
5 dem urbes Ioniae a Cyro, rege Persarum, captae sunt et a tyrannis, quos ille creavit, regebantur.

Imperium crudele tyrannorum diu aegre ferebant Ionii qui, sicut omnes Graeci, libertatem magnopere amabant. Itaque inter se coniuraverunt, tyrannos expulerunt, a
10 Graecia per nuntios auxilium petiverunt. Lacedaemonii, populus Graeciae potentissimus, quod extra Graeciam bellum gerere nolebant, Ionios non adiuverunt. Sed ab Atheniensibus, qui ipsi ex gente Ionia erant, viginti naves missae sunt; quarum nautae cum copiis Ioniis non solum
15 in Lydiam, Persarum provinciam, contenderunt sed etiam urbem Sardes eius provinciae caput incenderunt.

Qua de clade ubi Darius certior factus est, iratus sagittam in caelum misit et deis "Nihil aliud," inquit, "magis volo quam Athenienses punire, quod tam insolenter urbem meam pulcherrimam vastaverunt." Simul unum e servis 20 suis haec verba cotidie dicere iussit: "Athenienses, domine, in memoria tene!"

43. *Persia takes the Offensive* (496–491 B.C.) (3)

Mox inter Ionios, quamquam primo contra Persas rem bene gesserunt, discordia magna erat: omnes enim civitates suis solum ducibus parere volebant neque ullum consilium commune inire poterant. Itaque, ubi Persae terra marique Miletum circumvenerunt, Ionii cladem 5 gravissimam acceperunt: nam multae naves eorum e proelio fugerunt et Chii soli impetum hostium fortiter sustinuerunt.

Sic Ionia iterum in potestatem Persarum venit. Statim Darius ducem suum Mardonium magna classe ad Thra- 10 ciam navigare et Thraces, qui se cum Ioniis coniunxerant, punire iussit. Hoc Mardonius paucis mensibus fecit sed plurimas naves tempestate prope montem Athonem amisit et ipse proelio graviter vulneratus est.

Nunc Darius de supplicio Atheniensium deliberare 15 potuit et Hippias, qui in urbe Athenis tyrannus fuerat et a civibus expulsus erat, regem Persarum adiuvabat. "Ego," Dario inquit, "ad Atticam cum Persis navigare volo et amici mei, qui ibi adhuc habitant, me salutabunt et pro Persis arma sument: non solum hos socios tibi 20 promitto sed etiam in ora Atticae locum monstrabo ex quo Persae ad urbem Athenas optima via contendere poterunt."

44. *Marathon* (490 B.C.) (4)

Nuntii Persarum iam ab omnibus civitatibus Graecis 'terram aquamque' (quae signa deditionis erant) poscebant et Graeci nonnulli propter timorem haec signa dederunt et Persis se tradiderunt. Sed Athenienses nuntios 5 in fossam altam iecerunt et "Hinc," inquiunt, "terram regi vestro petite!": Lacedaemonii nuntios alios in fontem iecerunt et "Hinc aquam," clamabant, "Dario sumite!"

Omnia iam parata sunt et Persarum magnus exercitus Atticam adibat. In itinere parvas insulas Maris Aegaei 10 ceperunt et tandem ad Marathonem copias exposuerunt. Tum Miltiades, Atheniensium dux clarissimus, copias ex urbe duxit et in collibus, qui circum campum Marathonium erant, consedit.

Ubi Persae ad urbem Athenas contendere inceperunt, 15 Miltiades "Nunc tempus est," clamavit, "hostes e patria nostra expellere et gloriam maximam inter omnes Graecos comparare." Tum Athenienses pauci contra multos e collibus cucurrerunt et proelio ferocissimo Persas in mare egerunt magnumque eorum numerum occiderunt. Tu- 20 mulum etiam hodie videre possumus ubi corpora Atheniensium, qui hoc proelio perierunt, sepulta sunt.

Darius Graeciam iterum oppugnare in animo habuit, sed paucis annis mortem obiit et Xerxes filius eius rex Persarum factus est.

45. *Both Sides prepare for War* (481–480 B.C.) (5)

Xerxes maiorem exercitum colligere et totam Graeciam imperio suo addere constituit. Quod per Thraciam Macedoniamque copias ducere voluit, fabros suos pontem navium in Hellesponto facere iussit. Quem pontem ubi 5 tempestas delevit, Xerxes ira magna incensus est: "Persae," clamavit, "vincula in mare superbum iacite et virgis undas scelestas caedite, quae pontem regis magni sic disciderunt."

Tandem copiae Persarum ponte novo Hellespontum transierunt et per Thraciam contendere inceperunt. 10 Nunquam, ut in libris suis scripsit Herodotus, maior exercitus ab ullo alio imperatore ductus est; nam, ubi haec hominum multitudo iter fecerat, neque frumentum ullum in agris, neque aqua in fluviis est relicta!

Graeci saepe inter se pugnabant sed, ubi de itinere 15 Persarum certiores facti sunt, propter commune omnium periculum ad Isthmum in concilium venerunt et de salute patriae deliberabant. Lacedaemoniis, qui virtute disciplinaque militari omnes superabant, imperium terra marique mandatum est. 20

Propter hostium multitudinem Graeci in acie pugnare non poterant. Exercitum igitur, cuius dux erat Leonidas Lacedaemoniorum rex, ad saltum Thermopylarum miserunt, qui locus ab altera parte montibus altis, ab altera mari defenditur. Hic impetum hostium sustinere con- 25 stituerunt et simul navibus, quarum maxima pars Athenienses erant, classem Persarum oppugnare parabant.

GRAMMAR (Passages 46–50):
Deponent verbs
Numerals

NOTE: *milia* is a neuter plural noun meaning 'thousands'. It is followed by the genitive case.
e.g. *decem milia peditum*—ten thousands of infantry—10,000 infantry.

46. *Thermopylae and Artemisium* (480 B.C.) (6)

Iam Xerxes victor per Thessaliam contenderat: Thessali enim, quod Graeci terram eorum defendere non poterant, se Persis tradiderant et terram aquamque dederant.

5 Deinde Persae ad saltum Thermopylarum et ad viam angustam venerunt in qua parvae Graecorum copiae instructae sunt. Has primo Xerxes contempsit et paucos suorum impetum facere et hostes e saltu expellere iussit. Persae magna caede repulsi sunt: iterum postero die
10 Graecos aggressi sunt sed eos e saltu agere non potuerunt. Tertio die Graecus quidam, Ephialtes nomine, optimos Persarum milites per montes clam duxit. Quos ubi vidit, Leonidas maiorem militum partem se recipere iussit sed ipse cum trecentis Spartanis impetum hostium intrepidus
15 exspectavit. Inde ferocissimum fuit proelium: Spartani, ubi hastae gladiique fracti sunt, manibus dentibusque contra Persas pugnabant sed tandem omnes ad unum[1] occisi sunt. Horum virtus semper clarissima erit, qui pro patria fortiter perire quam fuga salutem petere maluerunt:
20 His Lacedaemoniis virtutis fama manebit
Dum bello dabitur fortibus ullus honor.

Graeci interea navibus ad Artemisium proelium commiserunt et classem Persarum bis vicerunt. Sed, ubi de clade exercitus certiores facti sunt, ad insulam Salamina[2]
25 se recipere coacti sunt. Multa enim milia Persarum per saltum in mediam Graeciam contendebant et urbs Athenae in maximo periculo erat.

47. *Events before Salamis* (480 B.C.) (7)

Hoc tempore erat in urbe Athenis Themistocles, vir sapientissimus, qui consilio suo et cives suos et omnes Graecos servavit.

[1] 'omnes ad unum' = all to a man.
[2] Salamis (nom), Salamina (acc), Salaminis (gen).

Quamquam Persae mediam Graeciae partem occupaverant et ad Atticam celerrime appropinquabant, Athe- 5
nienses urbem relinquere nolebant et sine ulla spe victoriae muros defendere constituerant. Tum Themistocles "Cives," inquit, "serpentem sacram, quae in templo Minervae habitat, sedem suam nocte relinquere et ex urbe ad oram maritimam exire vidi. Hoc signo dei nos 10
quoque Athenas relinquere et salutem navibus petere iubent." His verbis cives moti sunt: alii ad insulam Salamina, alii navibus ad alia loca tuta discesserunt. Mox Persae Athenas, sicut antea Athenienses Sardes, incenderunt sed civium maxima pars servata est. 15

Erat tum in classe Graecorum magna discordia: alii enim ad Isthmum se recipere et Atticam Persis tradere volebant; alii, inter quos erant Athenienses, ad Salamina proelium committere malebant. In concilio "Graeci," inquit Themistocles, "nisi hic manere et cives meos 20
defendere voletis, naves Athenienses ad Italiam ducam et ibi urbem novam condam." Simul epistolam ad Xerxem clam misit, in qua "Rex magne," scripsit, "Graeci timore pleni se recipere in animo habent: si statim oppugnabis, victoriam facile reportabis." Sine 25
mora Xerxes classem Persarum et Graeci naves suas ad pugnam parabant.

48. *Battle of Salamis* (480 B.C.) (8)

In freto angusto inter insulam Salamina et oram Atticae Graeci impetum hostium exspectabant. Quod in fretum Persae, qui numero navium superiores erant, navigare non dubitaverunt et primo naves Graecorum repellebant. Sed mox, ut speraverat Themistocles, naves 5
Persarum ipso numero perturbatae sunt neque gubernatores eas in loco angusto bene regere poterant. Quod ubi

viderunt, Graeci vi magna naves hostium oppugnaverunt et primas se recipere coegerunt. Tum inter naves Per-
10 sarum etiam maior perturbatio facta est: aliae enim fugere, aliae a tergo in pugnam procedere conabantur; aliae a Graecis, aliae navibus suis submergebantur.

In classe Persarum erat Artemisia regina, cuius navem navis Atheniensis sequebatur. Artemisia, ubi propter
15 navium numerum fugere non poterat, navem Persicam submersit et hoc modo viam fugae invenit. Hoc ubi conspexit Xerxes, qui e colle vicino proelium spectabat, magnopere erravit. Amicis enim suis clamavit: "aliae naves meae in fugam se vertunt, sed ecce Artemisiae navis
20 navem Graecam submersit. Nunc vero viri mei feminae facti sunt feminaeque viri!"

Sic navium Persarum plurimae submersae sunt, reliquae e proelio fugerunt. Exinde Graeci mari superiores erant neque iam Persae copias e navibus in Peloponnesum
25 exponere neque Isthmum a tergo oppugnare poterant.

49. *From Salamis to Plataea* (480–479 B.C.) (9)

Post proelium Xerxes concilium vocavit et Mardonio duci "Ego," inquit, "ad Asiam statim redibo: nam si Graeci victores ad Hellespontum navigaverint et pontem ibi ceperint, nullo modo e Graecia exire potero. Et
5 Ionii, ubi de clade nostra certiores facti erunt, inter se coniurabunt et vim contra imperium meum parabunt. Tu, Mardoni, cum maxima parte copiarum in Graecia manebis et postero anno, ubi exercitum parvum hostium superaveris, non solum Atticam sed totam Graeciam
10 imperio Persarum addes."

Itaque initio anni Mardonius in Boeotiam contendit et

prope oppidum Plataeas consedit. Sed Graeci, quorum dux erat Pausanias Lacedaemonius, maiore iam audacia rem gerebant, nam ab Isthmo procedere et Persas ad pugnam provocare non dubitaverunt. Impetu primo 15 equites Persarum Graecos perturbaverunt sed, ubi Masistius dux eorum hasta occisus est, se recipere coacti sunt. Tandem Mardonius ipse milites suos in Lacedaemonios duxit. Diu policiterque pugnabant sed, sicut Athenienses ad Salamina, Lacedaemonii ad Plataeas gloriam maxi- 20 mam comparaverunt. Mardonius ipse occisus est; Persae terga verterunt; castra eorum a Graecis victoribus expugnata sunt.

Reliqui Persae per Thessaliam Thraciamque ad Asiam fugerunt. Sic consilio Themistoclis et nautarum mili- 25 tumque virtute Graecia e periculo servata est.

50. *The End of the War* (479 B.C.) (10)

Interea nautae Atheniensium insulam Salamina custodiebant et cives, qui eo ex urbe fugerant, defendebant. Sed, ubi de victoria Graecorum certiores facti sunt, ad insulam Delum, quae in medio Mari Aegaeo est, navigaverunt. Huc nuntii ab Ionia venerunt et "Persae," 5 inquiunt, "prope insulam Samum castra classemque habent. Venite statim nobiscum et Graecos, qui in Ionia habitant, liberate!"

Graeci nuntiis Ioniorum paruerunt et omnibus navibus ad Asiam transiverunt. Quorum adventu Persae fuge- 10 runt et copias prope montem Mycalem exposuerunt. Sed Graeci quoque e navibus egressi sunt et non solum hostes vicerunt sed etiam omnes naves eorum incenderunt. Sic urbes Ioniae a potestate Persarum liberatae sunt.

15 Deinde classis Graecorum ad Hellespontum abiit et oppidum Sestum, quod Persae tenebant, obsidebat. Sed Lacedaemonii, qui procul a patria pugnare nolebant, mox ad Graeciam rediverunt; Athenienses sociique tandem hostes ex oppido expulerunt. Postea Cimon Atheniensis, 20 qui ab omnibus sociis imperator creatus est, reliquos Persas, qui oppida nonnulla Macedoniae Thraciaeque tenebant, superavit et imperium magnum civibus suis comparavit.

CHAPTER SIX

JULIUS CAESAR: ROMAN LIFE: A TRUE STORY

With the career of Julius Caesar, conqueror of Pompey in the civil war and himself murdered in 44 B.C., the Roman republic comes to an end.

Caesar's heir Octavian, after his victory over Antony at Actium in 31 B.C., founds the Empire and himself becomes the first Princeps with the title 'Augustus' (*see* Plate I). In his time the city of Rome is rebuilt and the Latin language spreads over the known world.

You will also read the stories of two famous Roman women, Cornelia, who lived under the republic, and Arria during the empire.

GRAMMAR (Passages 51–55):
Time, place and movement
Accusative of measurement

51. *Julius Caesar* (1)

C. Julius Caesar omnium ducum Romanorum maximus erat, qui adhuc iuvenis illam virtutem praestabat qua postea Galliam vicit novamque provinciam imperio Romano addidit.

Roma olim in Asiam discesserat, quod oratorem clarissimum Graecum audire volebat. Tum enim iuvenes Romani eloquentiam a magistris Graecis discebant. Dum ad insulam Rhodum hieme navigat, a praedonibus captus est et apud eos multos dies cum paucis servis

10 manere coactus est: reliquos enim servos abire sibique eam pecuniam ferre iusserat quam praedones poscebant. Praedonibus interea multa loquebatur et per iocum[1] "Vos," inquit, "omnes poena gravissima puniam, si unquam liberatus ero." Servi tandem cum pecunia 15 redierunt: Caesar, ubi quinquaginta talenta praedonibus dedit, liberatus est.

Nec diu moratus est. Statim classem paravit et praedones, qui iam fugiebant, secutus est. Quos ubi cepit et iam in potestate sua habuit, cruciatu maximo, sicut cap-20 tivus promiserat, occidit.

Paucis post annis Caesar, ubi in Hispaniam quaestor missus est, statuam ibi Alexandri Magni vidit. Illo spectaculo, ut dicunt, maxime motus est lacrimasque effudit. "Alexander," inquit, "adhuc iuvenis orbem terrarum iam 25 vicerat, sed ego nihil magnum feci." Itaque statim Romam rediit seque ad res maiores paravit.

52. *Julius Caesar* (2)

Victoriarum Caesaris maxima causa fuit celeritas: longissima enim itinera brevissimo tempore saepe faciebat. Nonnunquam enim, dum ad exercitum suum properat, iter centum milium passuum[2] uno die fecit, nec 5 ulli montes, ulli fluvii eum impedire poterant.

Octo fere annos contra Gallos pugnabat Caesar: totam Galliam vicit imperioque Romano addidit. Post eam victoriam iam tempus erat copias dimittere, sed, quod multos inimicos in urbe[3] habebat, inter quos erant 10 Pompeius magnaque pars senatorum, sine exercitu Romam redire nolebat. Leges autem Romanorum eum

[1] per iocum = as a joke.
[2] The Roman mile was about 1,620 yards.
[3] 'urbs' often means 'the city of Rome'.

copias suas trans Rubiconem fluvium, qui Galliam ab Italia dividebat, ducere vetabant. Itaque, ubi ad Rubiconem venit, diu in ripa moratus est, diu de bello contra Pompeium senatumque deliberavit. Repente se ad 15 milites suos convertit; "Etiam nunc," inquit, "redire possumus: hunc si fluvium transierimus, contra patriam pugnare cogemur" Tandem voce magna clamavit: "Iacta alea est.[1] Ibimus, quo inimici nostri nos vocant." Sine mora cum exercitu fluvium transiit, copias 20 inimicorum superavit, Pompeium ex Italia expulit.

Aliam victoriam, quam in Asia reportavit, tribus clarissimis verbis nuntiavit, "Veni, vidi, vici"; quibus verbis non solum victoriam sed celeritatem suam monstrare voluit. 25

Clarum etiam est aliud Caesaris dictum. Cenabat cum amicis quibusdam, multaque inter se de multis rebus loquebantur. Forte rogavit quidam: "Quem finem vitae optimum putas?" Cui statim Caesar, "Inopinatum," inquit. Postero die ipse a Bruto 30 ceterisque coniuratis occisus est.

53. *Actium and Augustus*

Post mortem Caesaris bellum civile inter M. Antonium et M. Octavianum, qui postea princeps nomine Augusti erat, gestum est; cuius belli finis proelium navale Actiacum fuit.

Multa Vergilius poeta de hoc proelio, multa de fama 5 Augusti imperiique Romani narrat. Ambo duces ingentem navium multitudinem comparaverant. Ab altera parte in nave alta stat vir armis insignis, cuius ex facie funduntur flammae et super caput stella fulget. Hic est Augustus Caesar, qui populos Italos in pugnam ducit. 10

[1] iacta alea est = the die is cast.

Contra eum M. Antonius Aegyptum populosque Orientis ducit; quem sequitur Cleopatra Aegyptiorum regina Antoniique uxor. Classis contra classem navigat, volant tela, mare sanguine fluit. Cleopatra omnes deos Aegypti
15 contra deos Romanos—Neptunum, Venerem, Minervam —invocat. Mars pugnam regit navemque contra navem vertit. Tandem tota Aegyptia classis timore superatur fluviumque Nilum petit: ipsa regina prima e proelio fugit.

20 Inde Augustus Caesar victor urbem intravit, triumphum ad Capitolium duxit. Ante omnia templa deis sacrificabat, per omnes vias cives laeti imperatorem suum salutabant. Inter captivos, qui ordine longo ducebantur, erant gentes variae ex omni parte orbis terrarum, quas Romani
25 a fluvio Euphrate usque ad Rhenum superaverant.

Hac victoria Augustus non solum belli civilis finem fecit, sed ipse primus princeps totius imperii Romani factus est. Ii, qui post eum idem imperium acceperunt, "imperatores" vocabantur. Per quattuor saecula a tem-
30 pore Augusti totus orbis terrarum ab imperatoribus Romanis regebatur.

54. *The City of Rome*[1]

Audivistis iam, lectores, de origine Romae, de proeliis Romanorum, de claris viris. Nunc pauca de urbe ipsa, de lingua moribusque Romanorum legetis.

Urbs Roma in septem montibus aedificata est, quorum
5 altissimus erat Capitolium. In altera parte Capitolii Arx fuit, in altera Iovis Optimi Maximi templum, quo imperatores Romani triumphos ducebant.

Prope Capitolium in media urbe locum apertum etiam hodie videmus. Is erat Forum Romanum, quo cives ad

[1] See Maps E and F.

VII A Greek Soldier from Marathon (*See Chapter 5*)

VIII Persian Archers (*See Chapter 5*)

mercaturam aliasque res conveniebant. In Foro erat templum Vestae, ubi ignis aeternus a Vestalibus servabatur, et Regia, Pontificis Maximi domus, in qua olim Iulius Caesar habitabat. Basilicae quoque erant, aedificia ingentia, quae magnam civium multitudinem continere poterant. Multis post annis, ubi Romani fidem Christianam acceperunt, basilicae in usum ecclesiarum versae sunt.

In Foro haud procul a Capitolio erat Curia, ubi Senatus conveniebat, Rostraque, unde oratores ad populum Romanum orationes habebant. Is locus "Rostra" vocatus est, quod rostris navium ornatus est, quae bello captae erant.

Erat Romae ingens civium multitudo, quorum plurimi in magnis aedificiis habitabant, quae "insulae" vocabantur. Hae altissimae erant et ii, qui cubicula superiora habebant, magno labore ascendebant. Erat olim, ut narrat scriptor Romanus, poeta quidam miserrimus qui ducentos gradus cotidie ascendebat. Magnum fuit quoque periculum ignium, quibus totae insulae saepe vastabantur. Inter insulas ducebant angustae viae, quae plenae erant civium turba omnique genere vehiculorum quorum strepitus cives nocte dormire prohibebat.

55. *The Latin Language*

Augustus Caesar non solum urbi Romanae sed toti orbi terrarum pacem dedit. Post victoriam suam portas templi Iani clausit: hoc Romani nunquam facere solebant, nisi omnia bella finita erant paxque erat per totum imperium Romanum facta.

Erant tum intra fines unius imperii multi populi, qui omnes suas linguas habebant. His omnibus Romani non solum pacem sed unam quoque linguam dederunt; quos

enim bello vicerunt, eos etiam linguam Latinam discere
10 coegerunt. Sic Galli, Hispani, Afri mox Latine et loqui
et legere didicerunt; Aegyptiis, Syriis, Iudaeis ceterisque
Orientis gentibus lingua quoque Graeca nota erat. Ii
igitur, quibus hae duae linguae erant notae, per omnes
imperii Romani provincias facillime iter facere poterant.
15 Iudaei non solum Latina et Graeca sed Hebraica etiam
lingua utebantur: ubi enim Iesus Christus in terra Iudaeorum sub Pontio Pilato cruce periit, scriptum est in cruce
litteris Graecis et Latinis et Hebraicis: Hic est Rex
Iudaeorum.

20 Sed ex his tribus linguis primum locum habebat Latina,
quod lingua erat Romanorum, quos poeta Vergilius
"rerum dominos gentemque togatam"[1] vocat.

Nobis quoque hodie utilissima est Latina; ii enim qui
hanc linguam bene cognoverunt, multo facilius linguas
25 hodiernas, praesertim Gallicam, Italicam, Hispanam,
quae originem suam ab antiqua Latina ducunt, discere
possunt. Nostra quoque lingua, quam Anglicam vocamus, plurima verba habet quae a Latina ducuntur.
Quotiens igitur Anglice vel legimus vel loquimur, lingua
30 Latina adhuc utimur, nec eam linguam "mortuam"
vocare possumus, quae in sermone librisque hodiernis
adhuc vivit vigetque.

GRAMMAR (Passages 56–60):

Commands
Interrogative words
Direct questions

56. *Roman Schools*

Hodie omnes pueri puellaeque in ludis docentur;
Romanorum tamen pueri aut domi a parentibus aut in

[1] = lords of the world, the people of the toga.

ludis privatis a magistris, qui saepe Graeci erant, docebantur. In ludis pueri Latine legere et scribere, etiam numerare discebant. Puellas matronae domi docebant. 5

Aestate, quod in urbe calor erat gravissimus periculumque morbi maximum, multi parentes, qui urbem relinquere poterant, in oram maritimam ad villas suas cum liberis abibant. Itaque menses Augustus et September pueris Romanis feriae erant. Maiorem partem anni 10 pueri cotidie prima hora in ludum ibant. Gravissime a magistris puniebantur, si male discebant: saepe clamoribus suis vicinos e somno excitabant.

Iuvenis Romanus, si famam sibi in re publica comparare volebat, non solum legere et scribere sed etiam orationes 15 ad populum habere debebat. Itaque in schola grammatica litteras non solum Latinas sed etiam Graecas discebat. Ibi inter multos alios scriptores Homerum, Graecorum maximum poetam, Vergiliumque, maximum Romanorum, legebat. Magister, qui eloquentiam docebat rhe- 20 torque vocabatur, maximum honorem inter Romanos habebat.

Discebant Romani etiam arithmeticam, geometriam, astronomiam; sed minus quam nos naturam ad usum suum vertere volebant. Stellas quidem observabant, sed 25 homines ad eas mittere non conabantur; rerum naturam investigabant, sed nullas machinas inveniebant, quibus nos hodie totas urbes delere possumus.

57. *A Good Mother*

Erant inter Romanos non solum clari viri sed etiam clarae feminae.

Cornelia filia erat Scipionis Africani uxorque Sempronii Gracchi, viri propter virtutem insignis. Qui ubi mortuus est, Cornelia cum duodecim liberis relicta est. Mox 5

Ptolemaeus, rex Aegypti, eam in matrimonium ducere reginamque facere voluit. Sed ea sola manere coniugisque memoriae fidelis esse quam uxor regis fieri maluit.

Inter filios duo erant, Tiberius et Gaius, qui postea 10 magnam sibi in re publica propter eloquentiam famam comparaverunt et ingenio suo et cura matris, quae eos maxima diligentia educaverat.

Olim femina quaedam Corneliae gemmas suas monstrabat. "Nonne pulchrae sunt gemmae meae?" inquit. 15 "Et tuae ubi sunt? Nonne eas mihi monstrare vis?" Ad haec Cornelia nihil statim respondit sed servum abire filiosque duos vocare iussit. Qui ubi venerunt, "Ecce," inquit, "gemmae meae!"

Ubi Tiberius et Gaius pro patria mortui sunt, semper de 20 eis mater cum amore sed sine lacrimis loquebatur, omnesque qui audiebant constantiam eius laudabant, qua dolorem suum superare poterat.

Itaque Cornelia exemplum bonae matris erat; cuius ad honorem Romani, etiam dum vivit, statuam in urbe 25 posuerunt, in qua erat inscriptum: Cornelia Mater Gracchorum.

58. *A Faithful Wife*

Arria uxor erat Caecinae Paeti. Unum filium habebant. Forte et pater et filius simul morbo gravissimo aegri erant et in periculum mortis venerant. Filius tandem mortuus est, iuvenis et pulcherrimus et fortissimus, 5 quem maxime amaverant parentes. Arria nihil de morte eius patri dixit; ipsa omnia curavit, ipsa filium sepelivit. Ubi pater de filio rogaverat, ea respondebat: "Bene dormivit", "Cibum sumpsit". Inde e cubiculo exibat, se dolori dabat, sola lacrimas effundebat. Ubi satis 10 fleverat, laeto vultu ad Paetum redibat. Sic constantia sua vitam viri conservavit.

Postea Paetus cum aliis contra principem Claudium coniuravit et a militibus ad urbem[1] ducebatur. Quo in periculo Arria virum relinquere nolebat. Militibus "Me quoque," inquit, "Romam cum viro meo ducite." 15 Nolebant milites: sed Arria parvam navem comparavit navemque secuta est, qua ferebatur Paetus.

Ubi Romam venerunt, Claudius magna ira Paetum adloquitur: "Contra me imperiumque meum, homo sceleste, coniuravisti neque supplicium tantae perfidiae vitabis. 20 Utrum te ipsum occidere vis an per servos meos cruciatu maximo perire? Delige celeriter: si enim cras vivus eris, ad mortem miserrimam traheris."

Tum Arria "Ego," inquit, "cum viro meo moriar et ad mortem viam facilem ipsa prima monstrabo." Pugionem 25 sumpsit, pectus suum percussit. Inde ubi pugionem extraxerat, viro dedit cum his verbis: "Paete, non dolet."[2]

59. *A True Story* (1)

Quibus fabulis delectabantur Romani? Hic fabulam habetis, cui a scriptore titulus "Vera Historia" datus est. Scriptor autem Lucianus erat, qui saeculo secundo post Christum scribebat. Sic incipit:

Olim a columnis Herculis secundo vento in Oceanum 5 navem solvi. Cuius navigationis causa erat studium rerum novarum; Oceani enim finem incolasque qui trans Oceanum habitabant invenire volebam. Itaque magnam copiam cibi, aquae, armorum in navem imposui comitesque quinquaginta mecum duxi. Diem noctem- 10 que secundo vento in conspectu terrae navigavimus; postridie prima luce augebatur ventus et mare turbabatur, nec iam vela tollere poteramus. Navem igitur ventis

[1] See Note 3, Passage 52. [2] non dolet = it's not painful.

dedimus et septuaginta novem dies tempestate iactabamur; octogesimo inde die solem iterum insulamque conspeximus; e nave egressi sumus et longo labore defessi diu in litore iacebamus. Inde triginta viros custodes navis reliqui: ego ipse cum viginti comitibus profectus sum: insulam enim explorare volui.

Ubi haud procul a mari per silvam processeramus, columnam vidimus, in qua Graecis litteris scriptum est: "Huc venerunt Heracles et Bacchus." Inde ad fluvium latum venimus qui vino fluebat: propter hoc verbis credidimus quae in columna scripta sunt: "Huc venit Bacchus."

Postero die, ubi vinum ex fluvio sumpsimus, iterum navem solvimus et ad meridiem navigavimus. Subito coorta est tempestas ingens, quae navem magna vi ex mari in caelum sustulit. Septem dies noctesque per caelum ferebamur nec terram videre poteramus.

60. *A True Story* (2)

Octavo autem die terram magnam in caelo, sicut insulam, luce magna fulgentem vidimus, in quam e nave egressi sumus. Interdiu nihil ibi videre poteramus, sed ubi nox erat multas insulas, alias maiores, alias minores, omnes igni similes haud procul conspeximus. Infra erat alia terra quae urbes, fluvios, maria, silvas, montes habebat. Haec, ut putabamus, nostra terra erat.

Inde ad nos appropinquabant ingentes quidam homines qui avibus vehebantur et nos secum ad regem eius terrae venire iusserunt. Ubi rex nos conspexit, "Graecine," inquit, "vos estis?" Nos respondimus: "Graeci sumus." Tum is "Quomodo," inquit, "huc per caelum venistis?" Ubi omnia ei de itinere nostro narravimus, "Ego," inquit, "olim homo fui et in terra habitabam. Nomen mihi erat

Endymion. Sed ubi dormiebam, subito huc transportatus sum huiusque terrae rex sum factus. Haec terra, ubi vos nunc estis, Luna est, quam vos in caelo vestro fulgentem videtis." 15

Itaque in Luna paulisper mansimus, multaque et mira de incolis eius cognovimus. Oculos habent mobiles 20 auresque ingentes. Ubi senescunt, non moriuntur sed velut fumus evanescunt. Speculum quoque habent ingens: si quis id inspicit, omnes urbes omnesque populos velut praesentes videt. In illo speculo ego tum patriam parentesque meos vidi, sed illi fortasse me videre non 25 poterant. Haec vera sunt; is qui non credit, si ipse iter faciet, ipse cognoscet.

VOCABULARIES

NOTE 1. First and fifth declension nouns are feminine, second and fourth declension nouns are masculine unless otherwise shown, **but** nouns ending in **-um** are neuter. Genders of all third declension nouns are given.

2. A verb is regular, if only the conjugation number is shown.

3. Naturally long vowels, except final vowels, are marked. Many short vowels are also shown where they aid pronunciation.

4. Hyphens are frequently used to save space. These are not, of course, intended to indicate stems or division of syllables.

5. Similar meanings are separated by commas, others by semicolons.

SPECIAL VOCABULARIES

A

in, *prep. with abl.*, in
habito (1), I live, dwell
inter, *prep. with acc.*, among; between
regno (1), I reign, rule
cōpi-ae, -ārum (1), *plur.*, forces
paro (1), I prepare
et, *conj.*, and
contra, *prep. with acc.*, against
pugno (1), I fight
prope, *prep. with acc.*, near
fluvius (2), river
magnopere, *adv.*, greatly
terreo (2), I frighten
gladius (2), sword
hasta (1), spear
tandem, *adv.*, at last
supero (1), I overcome
mūrus (2), wall
oppugno (1), I attack
cibus (2), food
nōn, *adv.*, not
habeo (2), I have
timeo (2), I fear
tamen, *adv.*, yet, however
pro, *prep. with abl.*, for; instead of
patria (1), native land, country
intro (1), I enter
pecūnia (1), money
do, dăre, dĕdi, dătum, I give
incŏla (1) *c.*, inhabitant
servo (1), I save

B

e, ex, *prep. with abl.*, from, out of
dūc-o, -ĕre, duxi, ductum, I lead
in, *prep. with acc.*, into
vĕn-io, -īre, vēni, ventum, I come
mitt-o, -ĕre, mīsi, missum, I send
bellum (2), war
ag-er, -ri (2), field
vasto (1), I lay waste
perīculum (2), danger
sed, *conj.*, but
imperium (2), command

C

semper, *adv.*, always
memŏria (1), memory
ten-eo, -ēre, -ui, -tum, I keep, hold
cum, *prep. with abl.*, with, along with
auxilium (2), help
rŏgo (1), I ask for, ask
quod, *conj.*, because
fugo (1), I chase, put to flight
deinde, *adv.*, then, next
diu, *adv.*, for a long time
sustin-eo, -ēre, -ui, sustentum, I withstand, resist
oppidum (2), town
expugno (1), I capture, take by storm
proelium (2), battle

D

insula (1), island
iaceo (2), I lie
nuntius (2), messenger
amo (1), I like, love
ubi, *conj.*, when; where
pūnio (4), I punish
ad, *prep. with acc.*, to, towards
nāvigo (1), I sail
ōra (1), shore, coast

1

sum, esse, fui, I am
magnus, *adj.*, large, great
multus, *adj.*, much; *plural* many
parvus, *adj.*, small
dīviti-ae, -ārum (1), *plur.*, riches, wealth
comparo (1), I win, gain
saepe, *adv.*, often
nauta (1), *m.*, sailor
iub-eo, -ēre, iussi, iussum, I order
validus, *adj.*, strong
itaque, *adv.*, and so, therefore
īra (1), anger
nupta (1), bride, wife
līber-i, -ōrum (2), *plur.*, children
clārus, *adj.*, famous
deus (2), god
clāmo (1), I exclaim, cry, shout
fīlius (2), son
tuus, *adj.*, your, thy
perīculōsus, *adj.*, dangerous
expell-o, -ĕre, expŭli, expulsum, I expel, drive out
verbum (2), word
lacrima (1), tear
animus (2), mind
mŏv-eo, -ēre, mōvi, mōtum, I move; affect; stir up
servus (2), slave
fīdus, *adj.*, faithful
puer, -i (2), boy
porto (1), I carry
lŏcus (2), *n. plur.* **lŏca,** place
dēsertus, *adj.*, deserted, lonely
relinqu-o, -ĕre, relīqui, relictum, I leave
fera (1), wild beast
dēvŏro (1), I devour
agricola (1) *m.*, farmer
mĭser, -a, -um, *adj.*, miserable, wretched
invĕn-io, -īre, invēni, inventum, I find
casa (1), cottage
suus, *adj.*, his; her; its; their
cūra (1), care
ēdŭco (1), I rear, bring up
consilium (2), plan; advice
enim (*second word*), *conj.*, for
vīvus, *adj.*, alive
postea, *adv.*, later, afterwards

2

ōlim, *adv.*, once, once upon a time
vir, viri (2), man; husband
intrepidus, *adj.*, fearless, brave
cārus, *adj.*, dear
dea (1), goddess
marīnus, *adj.*, of the sea, marine
nupti-ae, -ārum (1), *plur.*, wedding
celebro (1), I celebrate
convīvium (2), feast, banquet
descend-o, -ĕre, -i, descensum, I come down, descend
-que, *conj.*, and
dōnum (2), gift
pulch-er, -ra, -rum, *adj.*, beautiful, handsome
gaudium (2), joy
discordia (1), strife
invīto (1), I invite
nam, *conj.*, for
grātus, *adj.*, pleasing; welcome
inde, *adv.*, then; thence
īrātus, *adj.*, angry
pōmum (2), apple
aureus, *adj.*, golden, of gold
fabrico (1), I fashion, form
turba (1), crowd
convīva (1) *c.*, guest
iacto (1), I fling, toss
sīc, *adv.*, thus, in this way
rixa (1), quarrel
excĭto (1), I rouse, stir up
meus, *adj.*, my, mine
inquit: inquiunt, says he, said he: they say
nost-er, -ra, -rum, *adj.*, our

arbit-er, -ri (2), referee, judge
ob, *prep. with acc.*, because of, on account of
sapientia (1), wisdom
terra (1), earth, land; ground
vĭd-eo, -ēre, vīdi, vīsum, I see
dēligo, -ĕre, dēlēgi, dēlectum, I choose

3

labōro (1), I work
forma (1), form, shape; beauty
dīvīnus, *adj.*, divine, godlike
silva (1), wood
fīnitimus, *adj.*, nearby, neighbouring
curr-o, -ĕre, cucurri, cursum, I run
vŏco (1), I call, summon
fābula (1), story
narro (1), I relate
iūdicium (2), judgement, decision
nōtus, *adj.*, well known, known
prōmissum (2), promise
sollicito (1), I tempt
pŏtentia (1), power
prōmitt-o, -ĕre, prōmīsi, prōmissum, I promise
etiam, *adv.*, even; also; still
victōria (1), victory
reporto (1), I win; bring back
neque *or* **nec,** *conj.*, nor, and not
neque . . . neque, neither . . . nor
tam, *adv.*, so
constitu-o, -ĕre, -i, -tum, I resolve, decide
adiuv-o, -āre, adiūvi, adiūtum, I help
causa (1), cause, reason

4

iam, *adv.*, (by) now, already
adhūc, *adv.*, still
violo (1), I break (*a promise*)
redūc-o, -ĕre, reduxi, reductum, I bring back
lūdus (2), game
amīcus (2), friend
tum, *adv.*, then, at that time
oculus (2), eye
vert-o, -ĕre, -i, versum, I turn
iterum, *adv.*, again, a second time
rēgīna (1), queen
paene, *adv.*, almost
advĕna (1) *c.*, stranger
nōn iam, no longer
forte, *adv.*, by chance
procul, *adv.*, far, at a distance
ab *or* **a,** *prep. with abl.*, from; by
iniūria (1), wrong, insult
socius (2), ally
arm-a, -ōrum (2) *plur.*, arms

5

ger-o, -ĕre, gessi, gestum, I wage (*war*); I do
tu; vos, *pron.*, you, *sing.*; you, *plur.*
frustra, *adv.*, in vain
mīl-es, -ĭtis, *m.*, soldier
nāv-is, -is, *f.*, ship
frāt-er, -ris, *m.*, brother
dux, dŭcis, *m.*, leader
cervus (2), stag
sac-er, -ra, -rum, *adj.*, sacred
occīd-o, -ĕre, -i, occīsum, I kill
ventus (2), wind
is, ea, id, he, she, it
fīlia (1), daughter
audio (4), I hear, listen to
mŏra (1), delay
culpo (1), I blame
inŏpia (1), scarcity, shortage
castr-a, -ōrum (2) *plur.*, camp
păt-er, -ris, *m.*, father
crūdēl-is, -e, *adj.*, cruel
hīc, *adv.*, here
mors, mortis, *f.*, death
puella (1), girl
ego; nos, *pron.*, I; we

si, *conj.*, if
sal-us, -ūtis, *f.*, safety
virt-us, -ūtis, *f.*, courage
fam-es, -is, *f.*, hunger, starvation
lībero (1), I free, set free

6

plēnus, *adj. with abl.*, full of, full
apprŏpinquo (1) *with* **ad.,** I approach
omn-is, -e, *adj.*, all; every
host-is, -is, *c.*, enemy (*usually plural*)
exspecto (1), I wait, wait for
ōra marĭtĭma (1), seashore
trah-o, -ĕre, traxi, tractum, I pull, drag
vallum (2), rampart
fossa (1), ditch
mūnio (4), I fortify
vinc-o, -ĕre, vīci, victum, I conquer
urbs, urbis, *f.*, city
supero (1), I surpass, excel; overcome
nōm-en, -ĭnis, *n.*, name
ux-or, -ōris, *f.*, wife
trād-o, -ĕre, -idi, -itum, I hand over, surrender
tūtus, *adj.*, safe
man-eo, -ēre, mansi, mansum, I stay, remain
neque iam, and no longer

7

tabernāculum (2), tent
nunc, *adv.*, now
facil-is, -e, *adj.*, easy
mortuus, *adj.*, dead
statim, *adv.*, at once
corp-us, -ŏris, *n.*, body
ter, *adv.*, three times
circum, *prep. with acc.*, around, round
princ-eps, -ĭpis, *m.*, chieftain, chief

8

post, *prep. with acc.*, after
vīto (1), I avoid
sagitta (1), arrow
fallācia (1), trick, stratagem
nĭsi, *conj.*, except, unless
spēro (1), I hope for, hope; expect
equus (2), horse
ligneus, *adj.*, made of wood, wooden
cēlo (1), I hide
nox, noctis, *f.*, night
discēd-o, -ĕre, discessi, discessum, I go away, depart
mend-ax, -ācis, *c.*, liar

9

māne, *adv.*, in the morning, early
laetus, *adj.*, glad, happy
specto (1), I look at, look
stupeo (2), I am amazed
de, *prep. with abl.*, about, concerning
falsus, *adj.*, false, untrue
respond-eo, -ēre, -i, responsum, I reply
mar-e, -is, *n.*, sea
vest-er, -ra, -rum, *adj.*, your
supplicium (2), punishment
sacerd-ōs, -ōtis, *c.*, priest
per, *prep. with acc.*, through; by means of
serp-ens, -entis, *f.*, serpent
trans, *prep. with acc.*, across

10

medius, *adj.*, the middle of
collŏco (1), I place, set
dēfessus, *adj.*, tired
mox, *adv.*, soon
dormio (4), I sleep
custōdio (4), I guard
porta (1), gate, door
occupo (1), I seize, take possession of
interea, *adv.*, meanwhile
silentio, *adv.*, silently, quietly

clām-or, -ōris, *m.*, shout, cry
prīmo, *adv.*, at first
temp-us, -ŏris, *n.*, time
numerus (2), number
incend-o, -ĕre, -i, incensum, I burn, set on fire
lĭb-er, -ri (2), book
lĕg-o, -ĕre, lēgi, lectum, I read

11

qui, quae, quod, *relative pron.*, who, which
ignārus, *adj.*, ignorant of
repente, *adv.*, suddenly
somnus (2), sleep
longus, *adj.*, long
barba (1), beard
vuln-us, -ĕris, *n.*, wound
monstro (1), I show
tim-or, -ōris, *m.*, fear
vōx, vōcis, *f.*, voice
trist-is, -e, *adj.*, sad
fātum (2), fate
mando (1), I entrust
ign-is, -is, *m.*, fire
aeternus, *adj.*, eternal, everlasting
erro (1), I wander
ibi, *adv.*, there
cond-o, -ĕre, -idi, -itum, I found (*a city*)
sēd-es, -is, *f.*, home; seat, throne
undique, *adv.*, on *or* from all sides
pet-o, -ĕre, -īvi *or* **-ii, -ītum,** I seek; make for
via (1), road, way
tēlum (2), weapon

12

class-is, -is, *f.*, fleet
nŏvus, *adj.*, new; strange
caelum (2), sky, heavens
serēnus, *adj.*, clear
secundus, *adj.*, favourable
stella (1), star
lux, lūcis, *f.*, light
obscūrus, *adj.*, dim, dark
coll-is, -is, *m.*, hill
humil-is, -e, *adj.*, low; humble
salūto (1), I greet, welcome
inimīcus, *adj.*, hostile, unfriendly
tempest-as, -ātis, *f.*, storm
unda (1), wave
aqua (1), water
mons, montis, *m.*, mountain
dēl-eo, -ēre, -ēvi, -ētum, I destroy
ipse, ipsa, ipsum, *adj.*, himself, herself etc.
relĭquus, *adj.*, the rest of
piet-as, -ātis, *f.*, sense of duty, piety
insign-is, -e, *adj.*, noted for, remarkable

13

lātus, *adj.*, broad, wide
rīpa (1), bank (*of a river*)
av-is, -is, *f.*, bird
vŏlo (1), I fly
canto (1), I sing
hūc, *adv.*, to here, hither
fīn-is, -is, *m.*, end
iter, itinĕris, *n.*, journey; march
gens, gentis, *f.*, tribe, people
prōvŏco (1), I challenge
pax, pācis, *f.*, peace
confirmo (1), I establish
aedifico (1), I build
mōs, mōris, *m.*, custom
annus (2), year
orīg-o, -ĭnis, *f.*, origin
prīmus, *adj.*, first

14

ambo, ambae, ambo, *adj.*, both
simul, *adv.*, at the same time
augurium (2), sign, omen
ascend-o, -ĕre, -i, ascensum, I climb
sex, six
bis, *adv.*, twice
agrest-is, -is, *c.*, countryman

invŏco (1), I call upon, invoke
ōm-en, -ĭnis, *n.*, omen
fulm-en, -ĭnis, *n.*, lightning, thunderbolt
studium (2), enthusiasm, zeal
invidia (1), envy, jealousy
contemn-o, -ĕre, contempsi, contemptum, I despise
populus (2), people
insolenter, *adv.*, insolently
cad-o, -ĕre, cecĭdi, cāsum, I fall
sōlus, *gen.* **sōlius,** *adj.*, alone

15

rex, rēgis, *m.*, king
nōn sōlum . . . sed etiam, not only . . . but also
firmo (1), I strengthen
coniung-o, -ĕre, coniunxi, coniunctum, I join, yoke together
cīv-is, -is, *c.*, citizen
vīta (1), life
iūs, iūris, *n.*, law; legal decision
sōl, sōlis, *m.*, sun
nūb-es, -is, *f.*, cloud
imb-er, -ris, *m.*, rain, rain-storm
tergum (2), back
terga vertĕre, to turn the back, to flee
usquam, *adv.*, anywhere
ut, *conj. with indic.*, as; when
crēd-o, -ĕre, -idi, -itum, I believe
mīrus, *adj.*, wonderful; strange
dīc-o, -ĕre, dixi, dictum, I say
nuntio (1), I report, announce
cap-ut, -ĭtis, *n.*, head; capital
orb-is, -is, *m.*, circle
orbis terrārum, the world
exinde, *adv.*, from then on

16

alius, *adj.*, other
ultimus, *adj.*, last; furthest
propter, *prep. with acc.*, on account of
superbia (1), pride
pons, pontis, *m.*, bridge
contend-o, -ĕre, -i, I hasten; march
intra, *prep. with acc.*, within
fuga (1), flight
manus (4) *f.*, hand
retin-eo, -ēre, -ui, retentum, I hold back, check
fŏrum (2), market-place, forum
ūnus, *gen.* **ūnius,** *adj.*, one
spēs (5), hope
adventus (4), approach, arrival
impedio (4), I hinder

17

consist-o, -ĕre, constiti, I stand; halt
saevus, *adj.*, fierce, cruel
pud-or, -ōris, *m.*, shame; modesty
impetus (4), attack
scūtum (2), shield
sē, *pron.*, himself, herself, itself, themselves
dēfend-o -ĕre, -i, dēfensum, I defend
laudo (1), I praise
poēta (1) *m.*, poet

18

iuven-is, -is, *m.*, young man
aud-ax (*gen.* **-ācis**), *adj.*, bold
senātus (4), the Senate
placeo (2), *with dat.*, I please
rēs (5), thing, affair, deed
vest-is, -is, *f.*, dress, garment
eo, *adv.*, to there, thither
scrība (1), *m.*, secretary, clerk
simil-is, -e, *adj.*, similar, like
sūm-o, -ĕre, sumpsi, sumptum, I take, receive

19

ante, *prep. with acc.*, before
sine, *prep. with abl.*, without

et . . . et, both . . . and
āra (1), altar
velut, *adv.*, as if
dol-or, -ōris, *m.*, pain; grief
signum (2), sign, signal; standard
torridus, *adj.*, scorched
glōria (1), glory
līber, -a, -um, *adj.*, free
ullus, *gen.* **ullius,** *adj.*, any

20

cons-ul, -ŭlis, *m.*, consul
coniūro (1), I conspire, plot
ēloquentia (1), eloquence
pars, partis, *f.*, part; side
concilium (2), meeting
vent-er, -ris, *m.*, stomach
ignāvus, *adj.*, lazy; cowardly
nunquam, *adv.*, never
lab-or, -ōris, *m.*, labour, toil
ōs, ōris, *n.*, mouth
dens, dentis, *m.*, tooth
sangu-is, -ĭnis, *m.*, blood
praebeo (2), I provide; offer
tōtus, *gen.*, **tōtius,** *adj.*, whole
sapi-ens (*gen.*, **-entis**), *adj.*, wise

21

mātrimōnium (2), marriage
mens, mentis, *f.*, mind; disposition
per-ĕo, īre, -ii *or* **-īvi, -itum,** I perish
sacrifico (1), I sacrifice
ari-es, -ĕtis, *m.*, ram
vell-us, -ĕris, *n.*, fleece
penna (1), wing; feather
ab-ĕo, -īre, -ii *or* **-īvi, -ĭtum,** I go away, depart
in-ĕo, -īre, -ii *or* **-īvi, -ĭtum,** I enter on; enter, go in
quam, *adv.*, than
celer, -is, -e, *adj.*, swift, fast
magis, *adv.*, more

lux prīma, *gen.*, **lūcis prīmae,** *f.*, dawn
altus, *adj.*, high, lofty; deep
attonitus, *adj.*, astonished
drac-o, -ōnis, *m.*, dragon

22

lect-or, -ōris, *c.*, reader
regnum (2), kingdom
paternus, *adj.*, father's, of the father
patruus (2), uncle
trans-ĕo, -īre, -īvi *or* **-ii, -ĭtum,** I cross
anus (4) *f.*, old woman
fēmina (1), woman
alter, -a, -um, *gen.*, **alterius,** *adj.*, one, the other (*of two*)
mūto (1), I change
sŏlea (1), sandal, shoe
āmitt-o, -ĕre, āmīsi, āmissum, I lose
pes, pĕdis, *m.*, foot
nūdus, *adj.*, bare, naked
căv-eo, -ēre, cāvi, cautum, I beware of

23

fab-er, -ri (2), workman
ars, artis, *f.*, art, skill
sōlum, *adv.*, only
ĕo, īre, īvi *or* **ii, ĭtum,** I go
gubernāt-or, -ōris, *m.*, helmsman
fort-is, -e, *adj.*, brave
quinquāginta, fifty
carm-en, -ĭnis, *n.*, song, tune
arb-or, -ŏris, *f.*, tree
saxum (2), rock, stone; cliff
vīs (*acc.*, **vim,** *abl.*, **vi**), *f.*, force, violence
vīres (*plur. of* **vīs**), strength
grav-is, -e, *adj.*, heavy; stern; serious
eccĕ, *interj.*, behold! lo!
libenter, *adv.*, willingly

24

rēmus (2), oar
impell-o, -ĕre, impŭli, impulsum, I drive on, urge on
dulc-is, -e, *adj.*, sweet
dēlecto (1), I delight, charm
ob-ĕo, -īre, -īvi *or* **-ii, -ĭtum,** I enter upon, face; perform
pauc-i, -ae, -a, *adj.*, few
dēbeo (2), I owe, ought
portus (4), harbour
fons, fontis, *m.*, well, spring
facies (5), face
pug-il, -ĭlis, *m.*, boxer
statūra (1), stature, height
ing-ens (*gen.*, **-entis**), *adj.*, enormous, huge

25

nig-er, -ra, -rum, *adj.*, black
hŏdie, *adv.*, to-day
frĕtum (2), strait, channel
strepitus (4), noise, din
angustus, *adj.*, narrow
paulisper, *adv.*, for a short time
immōtus, *adj.*, motionless, unmoved
concurr-o, -ĕre, -i, concursum, I clash, run together
red-ĕo, -īre, -īvi *or* **-ii, -ĭtum,** I return, go back
nullus, *gen.*, **nullius,** *adj.*, no
admoneo (2), I warn
vāt-es, -is, *c.*, prophet, seer
columba (1), dove
quŏque, *adv.*, also

26

ad-ĕo, -īre, -īvi *or* **-ii, -ĭtum,** I go to, approach
ille, illa, illud, that; he, she, it
taurus (2), bull
flamma (1), flame
spīro (1), I breathe forth, breathe
hīc, haec, hōc, *adj.*, this
arātrum (2), plough
aro (1), I plough
ser-o, -ĕre, sēvi, satum, I sow
surg-o, -ĕre, surrexi, surrectum, I rise
aut . . . aut, either . . . or
hūmānus, *adj.*, human

27

antea, *adv.*, before, previously
am-or, -ōris, *m.*, love
ancilla (1), maid-servant
magicus, *adj.*, magic, magical
rēgia (1), palace
cras, *adv.*, to-morrow
quōmodo, *adv.*, how?
unguentum (2), ointment
diēs (5) *m.*, (*c. in sing.*), day
posterus, *adj.*, next

28

consīd-o, -ĕre, consēdi, consessum, I settle, sit down
vict-or, -ōris, *m.*, conqueror, victor
nihil, nothing

29

clam, *adv.*, secretly
pend-eo, -ēre, pependi, I hang (*intrans.*)
herba (1), herb

30

consilium inĕo, I form a plan
discind-o, -ĕre, discidi, discissum, I cut in pieces
collĭg-o, -ĕre, collēgi, collectum, I collect
sor-or, -ōris, *f.*, sister
vorāg-o, -ĭnis, *f.*, whirlpool

NOTE. Special Vocabularies end here; in future use General Vocabulary.

GENERAL VOCABULARY

a *or* **ab,** *prep. with abl.*, from; by
ab-ĕo, -īre, -īvi *or* **-ii, ĭtum,** I go away, depart
accip-io, -ĕre, accēpi, acceptum, I receive; suffer (*a defeat*); I accept
aciēs (5), line-of-battle
ad, *prep. with acc.*, to, towards; near, at; for
add-o, -ĕre, -idi, -itum, I add
ad-ĕo, -īre, -īvi *or* **-ii, -ĭtum,** I go to, approach
adhūc, *adv.*, still
adiuv-o, -āre, adiūvi, adiūtum, I help
adloqu-or, -i, adlocūtus sum, I address, speak to
admoneo (2), I warn
advĕna (1) *c.*, stranger
adventus (4), approach, arrival
adversus, *adj.*, adverse
  rēs adversae, *f.*, *plur.*, adversity
aedificium (2), building
aedifico (1), I build
aeg-er, -ra, -rum, *adj.*, sick
aegrē fero (*see* **fero**), *with acc.*, I am annoyed at
aest-as, -ātis, *f.*, summer
aeternus, *adj.*, eternal, everlasting
ag-er, -ri (2), field
aggred-ior, -i, aggressus sum, I attack
ag-o, -ĕre, ēgi, actum, I drive; act; spend (*time*)
agrest-is, -is, *c.*, countryman
agricola (1) *m.*, farmer
alius, *adj.*, other, another
  alii . . . alii, some . . . others
alter, -a, -um, *gen.*, **alterius,** *adj.*, one *or* the other (*of two*)
altus, *adj.*, high; deep
ambo, ambae, ambo, *adj.*, both
amīcus (2), friend
amīcus, *adj.*, friendly
āmitt-o, -ĕre, āmīsi, āmissum, I lose
amo (1), I like; love
am-or, -ōris, *m.*, love
ancilla (1), maid-servant
angustus, *adj.*, narrow
animus (2), mind
annus (2), year
ante, *prep. with acc.*, before
antea *or* **ante,** *adv.*, before, previously
antīquus, *adj.*, old, ancient
anus (4) *f.*, old woman
apertus, *adj.*, open
apprŏpinquo (1) *with* **ad,** I approach
aptus, *adj.*, *with dat.*, suitable for
apud, *prep. with acc.*, among
aqua (1), water
āra (1), altar
arātrum (2), plough
arbit-er, -ri (2), referee, judge
arb-or, -ŏris, *f.*, tree
ari-es, -ĕtis, *m.*, ram
arithmētica (1), arithmetic
arm-a, -ōrum (2) *plur.*, arms
armātus, *adj.*, armed
aro (1), I plough
ars, artis, *f.*, art, skill
  ars mathēmatica, mathematics
arx, arcis, *f.*, citadel
ascend-o, -ĕre, -i, ascensum, I climb, ascend
astronomia (1), astronomy
attonitus, *adj.*, astonished
auctōrit-as, -ātis, *f.*, authority
audācia (1), boldness
aud-ax (*gen.* **-ācis**), *adj.*, bold

audio (4), I hear, listen to
aug-eo, -ēre, auxi, auctum, I increase (*trans.*)
augurium (2), sign, omen
aureus, *adj.*, golden
aur-is, -is, *f.*, ear
aut, *conj.*, or
aut . . . aut, either . . . or
autem, *conj.*, however, but; moreover
auxilium (2), help
av-is, -is, *f.*, bird

barba (1), beard
basilica (1), hall
bellum (2), war
bene, *adv.*, well
beneficium (2), kindness
bis, *adv.*, twice
bonus, *adj.*, good
brev-is, -e, *adj.*, short, brief

cad-o, -ĕre, cecĭdi, cāsum, I fall
caed-es, -is, *f.*, slaughter
caed-o, -ĕre, cecīdi, caesum, I cut; beat
caelum (2), sky, heavens
cal-or, -ōris, *m.*, heat
campus (2), plain
canto (1), I sing
cap-io, -ĕre, cēpi, captum, I capture
captīva (1), a female prisoner
captīvus (2), prisoner
cap-ut, -ĭtis, *n.*, head; capital
carm-en, -ĭnis, *n.*, song, tune
cārus, *adj.*, dear
casa (1), cottage
castr-a, -ōrum (2) *plur.*, camp
causa (1), reason, cause
căv-eo, -ēre, cāvi, cautum, I beware of
cēd-o, -ĕre, cessi, cessum, I yield
celebro (1), I celebrate
celer, -is, -e, *adj.*, swift, quick
celerit-as, -ātis, *f.*, speed
cēlo (1), I hide, conceal
cēno (1), I dine
centum, a hundred
centuri-o, -ōnis, *m.*, centurion, sergeant
certus, *adj.*, sure, certain
certiōrem facĕre, to inform
cervus (2), stag
cēter-i, -ae, -a, *adj.*, rest of, other
cibus (2), food
circum, *prep. with acc.*, around, round
circumven-io, -īre, -vēni, -ventum, I surround
cīvīl-is, -e, *adj.*, civil
cīv-is, -is, *c.*, citizen
cīvit-as, -ātis, *f.*, state
clād-es, -is, *f.*, defeat; disaster
clam, *adv.*, secretly
clāmo (1), I exclaim, shout
clām-or, -ōris, *m.*, shout, cry
clārus, *adj.*, famous
class-is, -is, *f.*, fleet
claud-o, -ĕre, clausi, clausum, I close, shut
cognosc-o, -ĕre, cognōvi, cognĭtum, I learn, find out
cōg-o, -ĕre, coēgi, coactum, I compel
collĭg-o, -ĕre, collēgi, collectum, I collect
coll-is, -is, *m.*, hill
collŏco (1), I place, set
columba (1), dove
columna (1), pillar
com-es, -itis, *m.*, comrade, companion
committ-o, -ĕre, commīsi, commissum, I join (*battle*)
commūn-is, -e, *adj.*, common, shared
comparo (1), I win, gain; prepare
concilium (2), meeting
concurr-o, -ĕre, -i, concursum, I clash, come together

cond-o, -ĕre, -idi, -itum, I found (*a city*)
confirmo (1), I establish; emphasise
coniung-o, -ĕre, coniunxi, coniunctum, I join; yoke together
coniunx, coniŭgis, *m. or f.*, husband *or* wife
coniūrātus (2), conspirator
coniūro (1), I conspire, plot
cōnor (1), I try
conservo (1), I preserve, save
consīd-o, -ĕre, consēdi, consessum, I sit down; encamp
consilium (2), plan; advice
consilium inīre *or* **capĕre,** I form a plan
consist-o, -ĕre, constiti, I stand; halt
conspectus (4), sight
conspic-io, -ĕre, conspexi, conspectum, I sight, catch sight of
constantia (1), endurance, patience
constitu-o, -ēre, -i, constitutum, I decide
cons-ul, -ŭlis, *m.*, consul
contemn-o, -ĕre, contempsi, contemptum, I despise
contend-o, -ĕre, -i, I hasten; march
contin-eo, -ēre, -ui, contentum, I hold, contain
contra, *prep. with acc.*, against
conven-io, -īre, convēni, conventum, I come together; meet
convert-o, -ĕre, -i, conversum, I turn
convīva (1) *c.*, guest
convīvium (2), feast, banquet
coor-ior, -īri, coortus sum, I arise
cōpia (1), supply
cōpi-ae, -ārum (1), *plur.*, forces
corp-us, -ŏris, *n.*, body
cotidie, *adv.*, daily
cras, *adv.*, to-morrow
crēd-o, -ĕre, -ĭdi, -ĭtum, *with dat.*, I believe
creo (1), I elect
cruciātus (4), torture
crūdēl-is, -e, *adj.*, cruel
crux, crucis, *f.*, cross
cubiculum (2), bed-room
culpo (1), I blame
cultus (4), worship
cum, *prep. with abl.*, with, along with
cūra (1), care
cūro (1), I look after, see to
curr-o, -ĕre, cucurri, cursum, I run
custōdio (4), I guard
cust-os, -ōdis, *m.*, guard

dē, *prep. with abl.*, about, concerning
dea (1), goddess
dēbeo (2), I owe, ought, have to
dēditi-o, -ōnis, *f.*, surrender
dēfend-o, -ĕre, -i, defensum, I defend
dēfessus, *adj.*, tired
deinde, *adv.*, then, next
dēlecto (1), I delight, charm
dēl-eo, -ēre, -ēvi, -ētum, I destroy
dēlībero (1), I deliberate, take counsel
dēlig-o, -ĕre, dēlēgi, dēlectum, I choose
dens, dentis, *m.*, tooth
descend-o, -ĕre, -i, descensum, I descend, come down
dēsertus, *adj.*, deserted, lonely
deus (2), god
dēvŏro (1), I devour
dēvŏv-eo, -ēre, dēvōvi, dēvōtum, I devote, give up
dextra (1), right hand
dīc-o, -ĕre, dixi, dictum, I say, speak

dictum (2), saying
diēs (5) *m.*, day
dīligentia (1), diligence, carefulness
dīmitt-o, -ĕre, dīmīsi, dīmissum, I send away, disband
discēd-o, -ĕre, discessi, discessum, I go away, depart
discind-o, -ĕre, discidi, discissum, I cut apart; break in pieces
disciplīna (1), discipline
disc-o, -ĕre, didici, I learn
discordia (1), strife
diu, *adv.*, for a long time
dīvĭd-o, -ĕre, dīvīsi, dīvīsum, I divide, separate
dīvīnus, *adj.*, divine, godlike
dīviti-ae, -ārum (1) *plur.*, riches
do, dăre, dĕdi, dătum, I give
doc-eo, -ēre, -ui, doctum, I teach
dol-or, -ōris, *m.*, pain; grief
dominus (2), master
domus (2 *&* 4) *f.*, house, home
dōnum (2), gift
dormio (4), I sleep
drac-o, -ōnis, *m.*, dragon
dubito (1), I doubt; hesitate
ducent-i, -ae, -a, *adj.*, two hundred
dūc-o, -ĕre, duxi, ductum, I lead, bring; derive. **in mātrimōnium dūcĕre,** to marry (*trans.*)
dulc-is, -e, *adj.*, sweet
dum, *conj.*, while
duŏ, duae, duŏ, *adj.*, two
duŏdecim, twelve
dux, dŭcis, *m.*, leader, general

ē *or* **ex,** *prep. with abl.*, out of, from
eccĕ, behold!
ecclēsia (1), church
ēdŭco (1), I rear, bring up
effund-o, -ĕre, effūdi, effūsum, I pour forth, shed
egŏ; nōs, *pron.*, I; we
ēgred-ior, -i, egressus sum, I go out
ē nāve ēgredi, to disembark (*intrans.*)
ēloquentia (1), eloquence
enim, *conj.*, for
ĕo, *adv.*, to there, thither
ĕo, īre, īvi *or* **ii, ĭtum,** I go
epistola (1), letter
equ-es, -ĭtis, *m.*, cavalryman; (*plur.*) cavalry
equus (2), horse
erro (1), I wander; make a mistake
et, *conj.*, and
et . . . et, both . . . and
etiam, *adv.*, even; also; still
ēvānesc-o, -ĕre, ēvānui, I vanish
ex, *see* **'e'**
excĭto (1), I rouse, stir up
exemplum (2), example
ex-ĕo, -īre, -īvi *or* **-ii, -ĭtum,** I go out
exerceo (2), I exercise
exercitus (4), army
exinde, *adv.*, from then on
expell-o, -ĕre, expŭli, expulsum, I drive out
explōrāt-or, -ōris, *m.*, scout
explōro (1), I explore
expōn-o, -ĕre, expŏsui, expŏsitum, I land (*trans.*)
expugno (1), I capture, take by storm
exspecto (1), I await, wait for
extra, *prep. with acc.*, outside
extrah-o, -ĕre, extraxi, extractum, I draw out, withdraw

fab-er, -ri (2), workman; engineer
fabrico (1), I fashion, construct
fābula (1), story
faciēs (5), face
facil-is, -e, *adj.*, easy
fac-io, -ĕre, fēci, factum, I make; do
certiōrem facĕre, to inform
iter facĕre, to travel

fallācia (1), trick, stratagem
falsus, *adj.*, false, untrue
fāma (1), fame, glory
fam-es, -is, *f.*, hunger, starvation
fātum (2), fate
fēmina (1), woman
fera (1), wild beast
fere, *adv.*, about, almost
fēri-ae, -ārum (1) *plur.*, holidays
fero, ferre, tuli, lātum, I bear; bring, carry
aegrē fero, *with acc.*, I am annoyed at
fer-ox (*gen.*, **-ōcis**), *adj.*, fierce
fidēl-is, -e, *adj.*, faithful
fidēs (5), good faith; faith
fīdus, *adj.*, faithful
fīlia (1), daughter
fīlius (2), son
fīnio (4), I end, finish
fīn-is, -is, *m.*, end
fīnes, *plur.*, boundaries; territories
fīnitimus, *adj.*, near-by, neighbouring
fīo, fīeri, factus sum, I am made; become
firmo (1), I strengthen
flamma (1), flame
fleo, flēre, flēvi, flētum, I weep
flu-o, -ĕre, -xi, -xum, I flow
fluvius (2), river
fons, fontis, *m.*, well, spring
forma (1), form, shape; beauty
forma mathēmatica, geometrical figure
fortasse, *adv.*, perhaps
fortĕ, *adv.*, by chance
fort-is, -e, *adj.*, brave
fortūna (1), luck, fortune
fŏrum (2), market-place, forum
fossa (1), ditch
frang-o, -ĕre, frēgi, fractum, I break
frāt-er, -ris, *m.*, brother
frĕtum (2), strait, channel
frūmentum (2), corn
frustra, *adv.*, in vain
fuga (1), flight
fug-io, -ĕre, fūgi, I flee
fugo (1), I chase, put to flight
fulg-ens (*gen.*, **-entis**), *adj.*, shining
fulg-eo, -ēre, fulsi, I shine (*intrans.*)
fulm-en, -ĭnis, *n.*, thunderbolt, lightning
fūmus (2), smoke
fund-o, -ĕre, fūdi, fūsum, I pour

gaudium (2), joy
gemma (1), jewel
gens, gentis, *f.*, tribe, people, race
gen-us, -ĕris, *n.*, sort, kind
geōmetria (1), geometry
ger-o, -ĕre, gessi, gestum, I wage (*war*)
rem gerĕre, to conduct a war
gladius (2), sword
glōria (1), glory
gradus (4), step
grātus, *adj.*, welcome, pleasing
grav-is, -e, *adj.*, heavy; serious; severe
gubernāt-or, -ōris, *m.*, helmsman

habeo (2), I have; hold
orationem habēre, to deliver a speech
habito (1), I dwell, live
hasta (1), spear
haud, *adv.*, not
herba (1), herb
hīc, haec, hōc, *adj.*, this
hīc, *adv.*, here
hiems, hiĕmis, *f.*, winter
hinc, *adv.*, from here
histŏria (1), history
hŏdie, *adv.*, to-day
hŏdiernus, *adj.*, of to-day
hŏm-o, -inis, *m.*, man

hon-or, -ōris, *m.*, honour
hōra (1), hour
host-is, -is, *m.*, enemy (*usually plural*)
hūc, *adv.*, to here, hither
hūmānus. *adj.*, human
humil-is, -e, *adj.*, low; humble

iac-eo, -ēre, iacui, I lie
iac-io, -ĕre, iēci, iactum, I throw
iacto (1), I fling, toss
iam, *adv.*, now, already
ibi, *adv.*, there
īdem, eadem, ĭdem, *adj.*, same, the same
igitur, *adv.*, therefore
ignārus, *adj.*, ignorant of
ignāvia (1), cowardice
ignāvus, *adj.*, lazy; cowardly
ign-is, -is, *m.*, fire
ille, illa, illud, *adj. or pron.*, that; he, she, it
imb-er, -ris, *m.*, rain, rain-storm
immōtus, *adj.*, motionless
impedio (4), I hinder
impell-o, -ĕre, impŭli, impulsum, I drive on, urge on
imperāt-or, -ōris, *m.*, general; emperor
imperium (2), command, order; empire; rule; authority
impetus (4), attack
impōn-o, -ĕre, impŏsui, impŏsitum, I put in
in, *prep. with abl.*, in; on
in, *prep. with acc.*, into; against; on to
incend-o, -ĕre, -i, incensum, I burn, enflame
incip-io, -ĕre, incēpi, inceptum, I begin
incŏla (1) *c.*, inhabitant
inde, *adv.*, then, next; from there
in-ĕo, -īre, -īvi, *or* **-ii, -ĭtum,** I enter on; enter
  consilium inīre, to form a plan
infra, *adv.*, below
ingenium (2), nature; ability, genius
ing-ens (*gen.*, **-entis**), *adj.*, enormous; very great
inimīcus, *adj.*, hostile, unfriendly
inimīcus (2), (personal) enemy
initium (2), beginning
iniūria (1), wrong, insult
inŏpia (1), shortage, scarcity
inopīnātus, *adj.*, unexpected, sudden
inquit; inquiunt, he says, he said; they say
inscrīb-o, -ĕre, inscripsi, inscriptum, I inscribe, write on
insign-is, -e, *adj.*, noted for; conspicuous
insolenter, *adv.*, insolently
inspic-io, -ĕre, inspexi, inspectum, I look into, examine
instru-o, -ĕre, instruxi, instructum, I draw up
insula (1), island; block of flats
inter, *prep. with acc.*, among; between
interdiu, *adv.*, by day
interea, *adv.*, meanwhile
intra, *prep. with acc.*, within
intrepidus, *adj.*, fearless, brave
intro (1), I enter
invĕn-io, -īre, -vēni, -ventum, I find; I invent
investīgo (1), I investigate
invidia (1), envy, jealousy
invīto (1), I invite
invŏco (1), I call upon, invoke
ipse, ipsa, ipsum, *adj.*, himself, herself *etc.*
īra (1), anger
īrātus, *adj.*, angry
is, ea, id, *pron. and adj.*, he, she, it; that
itaque, *adv.*, and so, therefore

iter, itinĕris, *n.*, journey, march
iter facĕre, to make a journey, travel
iterum, *adv.*, a second time, again
iub-eo, -ēre, iussi, iussum, I order
iūdicium (2), judgement
iūs, iūris, *n.*, legal decision; law
iustus, *adj.*, just
iuven-is, -is, *m.*, young man

lab-or, -ōris, *m.*, labour, toil
labōro (1), I work
lacrima (1), tear
laetus, *adj.*, glad, happy
lātus, *adj.*, wide, broad
laudo (1), I praise
lect-or, -ōris, *c.*, reader
legi-o, -ōnis, *f.*, legion
lĕg-o, -ĕre, lēgi, lectum, I read
lex, lēgis, *f.*, law
libenter, *adv.*, willingly
lĭb-er, -ri (2), book
līber, -a, -um, *adj.*, free
līber-i, -ōrum (2) *plur.*, children
lībero (1), I free, set free
lībert-as, -ātis, *f.*, freedom, liberty
lict-or, -ōris, *m.*, lictor, attendant
ligneus, *adj.*, wooden
lingua (1), language
littera (1), letter (*of alphabet*)
litter-ae, -ārum (1) *plur.*, literature
līt-us, ŏris, *n.*, shore
lŏcus (2), *n. plur.*, **lŏca,** place
longus, *adj.*, long
loqu-or, -i, locūtus sum, I speak, converse
lūdus (2), game; school
lūna (1), moon
lux, lūcis, *f.*, light
lux prīma, dawn

māchĭna (1), machine; military engine
magicus, *adj.*, magical, magic
magis, *adv.*, more
magist-er, -ri (2), master, teacher
magnŏpere, *adv.*, greatly
magnus, *adj.*, large, great; loud
mālo, malle, mālui, I prefer
malus, *adj.*, bad
mando (1), I entrust
māne, *adv.*, early, in the morning
man-eo, -ēre, -si, -sum, I stay, remain
manus (4) *f.*, hand
mare, maris, *n.*, sea
marīnus, *adj.*, of the sea, marine
māt-er, -ris, *f.*, mother
mathēmatica ars, *f.*, mathematics
mathēmatica forma, *f.*, geometric figure
mātrimōnium (2), marriage
mātrōna (1), matron, married woman
maxime, *adv.*, very much
medius, *adj.*, the middle of
memŏria (1), memory
mend-ax, -ācis, *c.*, liar
mens, mentis, *f.*, disposition, mind
mens-is, -is, *m.*, month
mercātūra (1), trade
merīdies (5), south
meus, *adj.*, my, mine
mīl-es, -ĭtis, *m.*, soldier
mīlia (*gen.* **mīlium**) *n. plur.*, thousands
mīlitār-is, -e, *adj.*, military
mĭnus, *adv.*, less
mīrus, *adj.*, wonderful, strange
mĭser, -a, -um, *adj.*, wretched, miserable
mitt-o, -ĕre, mīsi, missum, I send; launch, hurl
mōbil-is, -e, *adj.*, moveable
mŏdus (2), way, manner
mons, montis, *m.*, mountain
monstro (1), I show; describe

mŏra (1), delay
morbus (2), disease, sickness
morior, mori, mortuus sum, I die
moror (1), I delay, wait
mors, mortis, *f.*, death
  mortem obīre, to meet one's death
mortuus, *adj.*, dead
mōs, mōris, *m.*, custom
mŏv-eo, -ēre, mōvi, mōtum, I move; stir up
mox, *adv.*, soon; later
mult-i, -ae, -a, *adj. plur.*, many
multitūd-o, -ĭnis, *f.*, a great number; number
multo, *adv.*, much
mūnio (4), I fortify
mūrus (2), wall
mūto (1), I change (*trans.*)

nam, *conj.*, for
narro (1), I relate, tell
nātūra (1), nature
nauta (1) *m.*, sailor
nāvāl-is, -e, *adj.*, naval
nāvigāti-o, -ōnis, *f.*, voyage
nāvigo (1), I sail
nāv-is, -is, *f.*, ship
  nāvem solvĕre, to set sail
nec, *see* **neque**
negleg-o, -ĕre, neglexi, neglectum, I neglect
nēmo (*acc.*, **nēminem,** *gen.*, **nullius**), no one
neque *or* **nec,** nor, and not
  neque . . . neque, neither . . . nor
  neque iam, and no longer
nig-er, -ra, -rum, *adj.*, black
nihil (*not declined*), nothing
nĭsi, *conj.*, unless, except
nōbil-is, -e, *adj.*, high-born, noble
nōlo, nolle, nōlui, I am unwilling, do not wish
nōm-en, -ĭnis, *n.*, name
nōn, *adv.*, not
  nōn iam, no longer
  nōn sōlum . . . sed etiam, not only . . . but also
nōnnull-i, -ae, -a, *adj. plur.* some
nōnnunquam, *adv.*, sometimes
nōs, *see* **ego**
nost-er, -ra, -rum, *adj.*, our
nōtus, *adj.*, known, well known
nŏvem, nine
nŏvus, *adj.*, new; strange
nox, noctis, *f.*, night
nūb-es, -is, *f.*, cloud
nūdus, *adj.*, bare
nullus, *gen.*, **nullius,** *adj.*, no
numero (1), I count
numerus (2), number
nunc, *adv.*, now
nunquam, *adv.*, never
nuntio (1), I announce, report
nuntius (2), messenger
nupta (1), bride, wife
nupti-ae, -ārum (1) *plur.*, wedding

ob, *prep. with acc.*, because of
ob-ĕo, -īre, -īvi *or* **-ii, -ĭtum,** I enter on, face; perform
  mortem obīre, to die
obscūrus, *adj.*, dim, dark
observo (1), I watch, observe
obsid-eo, -ēre, obsēdi, obsessum, I besiege
occīd-o, -ĕre, occīdi, occīsum, I kill
occupo (1), I seize
octāvus, *adj.*, eighth
octo, eight
octōgēsimus, *adj.*, eightieth
oculus (2), eye
ŏdium (2), hatred
officium (2), duty
ōlim, *adv.*, once upon a time, once
ōm-en, -ĭnis, *n.*, omen
omn-is, -e, *adj.*, all; every
oppidum (2), town

oppugno (1), I attack
ōra (1), shore, coast
  ōra marĭtĭma, seashore
ōrāti-o, -ōnis, *f.*, a speech
  ōrātiōnem habēre, to deliver a speech
ōrāt-or, -ōris, *m.*, orator
orb-is, -is, *m.*, circle
  orbis terrārum, the world
ord-o, -ĭnis, *m.*, line, rank
ori-ens, -entis, *m.*, the East
orīg-o, -ĭnis, *f.*, origin
orno (1), I adorn, decorate
ōs, ōris, *n.*, mouth

paene, *adv.*, almost
par-ens, -entis, *c.*, parent
pāreo (2), *with dat.*, I obey
paro (1), I prepare
pars, partis, *f.*, part; direction
parvus, *adj.*, small
passus (4), pace
  passūs mille, 1,000 paces, 1 mile
păt-er, -ris, *m.*, father
paternus, *adj.*, father's, of one's father
patria (1), native-land, country
patruus (2), uncle
pauc-i, -ae, -a, *adj. plur.*, few
paulisper, *adv.*, for a short time
pax, pācis, *f.*, peace
pect-us, -ŏris, *n.*, breast
pecūnia (1), money
pend-eo, -ēre, pependi, I hang (*intrans.*)
penna (1), wing
per, *prep. with acc.*, through, by means of; at the hands of
percut-io, -ĕre, percussi, percussum, I strike, pierce
per-ĕo, -īre, -īvi *or* **-ii -ĭtum,** I perish
perfĭdia (1), treachery
perfĭdus, *adj.*, treacherous
perīculōsus, *adj.*, dangerous
perīculum (2), danger
perītus, *adj. with gen.*, skilled (*in*)
perturbāti-o, -ōnis, *f.*, confusion
perturbo (1), I confuse
pēs, pĕdis, *m.*, foot
pet-o, -ĕre, -īvi *or* **-ii, -ītum,** I seek; make for
piet-as, -ātis, *f.*, sense of duty, piety
placeo (2) *with dat.*, I please
plēnus, *adj. with abl.*, full (*of*), full
poena (1), penalty, punishment
poēta (1) *m.*, poet
pōmum (2), apple
pōn-o, -ĕre, pŏsui, pŏsitum, I place; set up
pons, pontis, *m.*, bridge
pontif-ex, -icis, *m.*, priest, pontifex
populus (2), a people, nation
porta (1), gate
porto (1), I carry
portus (4), harbour
posc-o, -ĕre, poposci, I demand
possum, posse, potui, I am able, I can
post, *prep. with acc.*, after
postea, *adv.*, later, afterwards
posterus, *adj.*, next
postrīdie, *adv.*, on the next day
pŏt-ens (*gen.*, **-entis**), *adj.*, powerful
pŏtentia (1), power
potest-as, -ātis, *f.*, power
potius, *adv.*, rather
praebeo (2), I provide; show (*myself*)
praed-o, -ōnis, *m.*, pirate
praemium (2), reward
praes-ens (*gen.*, **-entis**), *adj.*, present
praesertim, *adv.*, especially
praest-o, -āre, praestiti, I show (*a quality*)
prīmo, *adv.*, at first
prīmum, *adv.*, first

prīmus, *adj.*, first
  lux prīma, dawn
princ-eps, -ĭpis, *m.*, chieftain, chief man; emperor
prīvātus, *adj.*, private
prō, *prep. with abl.*, for; instead of
prōcēd-o, -ĕre, processi, processum, I go forward, advance
prŏcul, *adv.*, far
proelium (2), battle
proficisc-or, -i, profectus sum, I set out
prohibeo (2) *with infin.*, I prevent
prōmissum (2), promise
prōmitt-o, -ĕre, prōmīsi, prōmissum, I promise
prope, *prep. with acc.*, near
prope, *adv.*, near-by
propero (1), I hasten
propter, *prep. with acc.*, on account of
prōvincia (1), province
prōvŏco (1), I challenge
publicus, *adj.*, public
  rēs publica, the (Roman) state
pud-or, -ōris, *m.*, shame; modesty
puella (1), girl
puer, -i (2), boy
pug-il, -ĭlis, *m.*, boxer
pugi-o, -ōnis, *m.*, dagger
pugna (1), fight, battle
pugno (1), I fight
pulch-er, -ra, -rum, *adj.*, beautiful; handsome
pūnio (4), I punish
puto (1), I think

quaest-or, -ōris, *m.*, quaestor
quam, *adv.*, than
quamquam, *conj.*, although
quartus, *adj.*, fourth
quattuor, four
-que, *conj.* and
qui, quae, quod, *relat. pron.*, who, which, that
qui, quae, quod, *interrog. adj.*, what? which?
quīdam, quaedam, quoddam, *adj. & pron.*, certain, a certain
quĭdem, *adv.*, indeed
quinquāginta, fifty
quis, quid (*after* **si, nisi** *or* **ne**), anyone, anything
quo, *adv.*, whither, where
quod, *conj.*, because
quōmodo, *adv.*, how?
quŏque, *adv.*, also
quotiens, *adv.*, whenever

recip-io, -ĕre, recēpi, receptum, I take back, recover
  sē recipĕre, to retreat
redd-o, -ĕre, -idi, -itum, I give back, restore
red-ĕo, -īre, -īvi *or* **-ii, -ĭtum,** I return, go back
redūc-o, -ĕre, reduxi, reductum, I bring back, lead back
rēgia (1), palace
rēgīna (1), queen
regno (1), I rule, reign
regnum (2), kingdom
reg-o, -ĕre, rexi, rectum, I govern, rule; I steer
relaxo (1), I loosen
relinqu-o, -ĕre, relīqui, relictum, I leave; abandon, give up
relĭquus, *adj.*, the rest of
relĭqui, *adj. plur.*, the others, the rest (*of*)
rēmus (2), oar
repell-o, -ĕre, reppŭli, repulsum, I drive back
repente, *adv.*, suddenly
reporto (1), I bring back
  victōriam reportāre, to win a victory
rēs (5), deed, exploit; thing; possession
  rēs adversae, *plur.*, adversity

rēs secundae, *plur.*, prosperity
rēs publica, the (Roman) state
rēm gerĕre, to conduct a war
respond-eo, -ēre, respondi, responsum, I answer
retin-eo, -ēre, -ui, retentum, I hold back, check
rex, rēgis, *m.*, king
rhēt-or, -ŏris, *m.*, teacher of rhetoric
rīpa (1), river-bank
rixa (1), quarrel
rŏgo (1), I ask for; ask
rōstrum (2), beak (*of ship*); *in plur.*, platform

sac-er, -ra, -rum, *adj.*, sacred
sacerd-ōs, -ōtis, *c.*, priest
sacrifico (1), I sacrifice
saeculum (2), century
saepe, *adv.*, often
saevus, *adj.*, fierce, cruel
sagitta (1), arrow
saltus (4), pass
sal-us, -ūtis, *f.*, safety
salūto (1), I greet, welcome
sangu-is, -ĭnis, *m.*, blood
sapi-ens (*gen.*, **-entis**), *adj.*, wise
sapientia (1), wisdom
satis, *adv.*, enough
saxum (2), stone, rock; cliff
scelestus, *adj.*, criminal, wicked
scel-us, -ĕris, *n.*, crime
schŏla grammatica (1), grammar school
scrība (1), *m.*, secretary, clerk
scrīb-o, -ĕre, scripsi, scriptum, I write, draw
script-or, -ōris, *m.*, writer
scūtum (2), shield
sē, *pron.*, himself, herself, itself, themselves
secundus, *adj.*, favourable; second
rēs secundae, *plur.*, prosperity
sed, *conj.*, but
sēd-es, -is, *f.*, home; seat, throne
semper, *adv.*, always
senāt-or, -ōris, *m.*, senator
senātus (4), the Senate
senesc-o, -ĕre, senui, I grow old
sepel-io, -īre, -īvi, sepultum, I bury
septem, seven
septuāginta, seventy
sequ-or, -i, secūtus sum, I follow, pursue
serēnus, *adj.*, clear
serm-o, -ōnis, *m.*, talk, conversation
ser-o, -ĕre, sēvi, satum, I sow
serp-ens, -entis, *f.*, serpent
servo (1), I save; keep; watch
servus (2), slave
sevērit-as, -ātis, *f.*, severity, sternness
sex, six
si, *conj.*, if
sīc, *adv.*, thus, in this way
sīcut, *adv.*, just as, like
signifer, -i (2), standard-bearer
signum (2), sign; standard
silentio, *adv.*, silently, quietly
silva (1), wood
simil-is, -e, *adj.*, *with dat.*, similar, like
simul, *adv.*, at the same time
sine, *prep. with abl.*, without
sin-o, -ĕre, sīvi, situm, I allow
socius (2), ally
sōl, sōlis, *m.*, sun
sŏlea (1), sandal, shoe
sŏl-eo, -ēre, sŏlitus sum, I am accustomed
sollicito (1), I tempt
sōlum, *adv.*, only
sōlus, *gen.*, **sōlius,** *adj.*, alone
solv-o, -ĕre, -i, solūtum, I loosen
nāvem solvĕre, to set sail
somnus (2), sleep
sor-or, -ōris, *f.*, sister

spectāculum (2), sight, spectacle
specto (1), I look at, look
speculum (2), mirror
spēro (1), I hope for; hope
spēs (5), hope
spīro (1), I breathe forth, breathe
spŏli-a, -ōrum (2), *plur.*, spoils
statim, *adv.*, at once, immediately
statua (1), statue
statu-o, -ĕre, -i, statūtum, I set up
statūra (1), stature, height
stella (1), star
sto, stāre, steti, statum, I stand
strepitus (4), din, noise
studium (2), enthusiasm; desire
stupeo (2), I am amazed
sub, *prep. with abl.*, under
subito, *adv.*, suddenly
submerg-o, -ĕre, submersi, submersum, I sink (*trans.*)
sum, esse, fui, I am
sūm-o, -ĕre, sumpsi, sumptum, I take; put on; take up
super, *prep. with acc.*, above, over; upon
superbia (1), pride, arrogance
superbus, *adj.*, proud
super-ior (*gen.*, **-iōris**), *adj.*, superior; upper
supero (1), I overcome; surpass, excel
supplicium (2), punishment
surg-o, -ĕre, surrexi, surrectum, I rise
sustin-eo, -ēre, -ui, sustentum, I withstand, resist
suus, *adj.*, his, her, its, their

tabernāculum (2), tent
talentum (2), talent
tam, *adv.*, so
tamen, *adv.*, however, yet
tandem, *adv.*, at last
tantus, *adj.*, so great, such
taurus (2), bull
tēlum (2), weapon
tempest-as, -ātis, *f.*, storm
templum (2), temple
temp-us, -ŏris, *n.*, time
ten-eo, -ēre, -ui, tentum, I hold, keep
ter, *adv.*, three times
tergum (2), back, rear
tergum vertĕre, to turn the back, flee
terra (1), earth, land, ground
orbis terrārum, the world
terreo (2), I frighten
tertius, *adj.*, third
timeo (2), I fear, am afraid (*of*)
tim-or, -ōris, *m.*, fear
titulus (2), title
tŏga (1), toga
tŏga virīlis, manhood dress
toll-o, -ĕre, sustuli, sublātum, I raise
tormentum (2), catapult; (*plur.*) artillery
torridus, *adj.*, scorched
tōtus, *gen.*, **tōtius,** *adj.*, whole; whole of
trād-o, -ĕre, -idi, -itum, I hand over, surrender
trah-o, -ĕre, traxi, tractum, I pull, drag
trans, *prep. with acc.*, across
trans-ĕo, -īre, -īvi *or* **-ii, -ĭtum,** I cross
transporto (1), I transport, carry
trecent-i, -ae, -a, *adj.*, *plur.*, three hundred
tres (*gen.*, **trium**), *adj. plur.*, three
tribūnus (2), tribune, junior officer
trīginta, thirty
trist-is, -e, *adj.*, sad
triumphus (2), triumph
tu; vōs, *pron.*, you (*sing.*); you (*plur.*)
tum, *adv.*, then, at that time
tumulus (2), mound, small hill
turba (1), crowd

turbo (1), I disturb, stir up
tūtus, *adj.*, safe
tuus, *adj.*, your, thy
tyrannus (2), tyrant

ubi, *conj.*, where; when
ullus, *gen.*, **ullius,** *adj.*, any
ultimus, *adj.*, last; furthest
unda (1), wave
unde, *adv.*, from where
undique, *adv.*, on *or* from all sides
unguentum (2), ointment
unquam, *adv.*, ever
ūnus, *gen.*, **ūnius,** *adj.*, onc
urbs, urbis, *f.*, city
usquam, *adv.*, anywhere
usque ad, *with acc.*, right up to
ūsus (4), use
ut, *conj. with indic.*, as
ūtil-is, -e, *adj.*, useful
ūtor, ūti, ūsus sum, *with abl.*, I use
utrum . . . an, whether . . . or
ux-or, -ōris, *f.*, wife

validus, *adj.*, strong
vallum (2), rampart
varius, *adj.*, various, different
vasto (1), I lay waste, destroy
vāt-es, -is, *c.*, prophet, seer
vehiculum (2), vehicle
veh-o, -ĕre, vexi, vectum, I convey; (*passive*) I ride
vell-us, -ĕris, *n.*, fleece
vēlum (2), sail
velut, *adv.*, as if; just like
vĕn-io, -īre, vēni, ventum, I come
vent-er, -ris, *m.*, stomach
ventus (2), wind
verbum (2), word
vēro, *adv.*, indeed, in truth
vert-o, -ĕre, -i, versum, I turn (*trans.*)
  tergum vertĕre, to turn the back, flee
vērus, *adj.*, true
vest-er, -ra, -rum, *adj.*, your
vest-is, -is, *f.*, dress, garment
vet-o, -āre, -ui, -itum, I forbid
via (1), road, way
vīcīnus, *adj.*, near-by, neighbouring
vīcīnus (2), neighbour
vict-or (*gen.*, **-ōris**), *adj.*, victorious
vict-or, -ōris, *m.*, conqueror, victor
victōria (1), victory
  victōriam reportāre, to win a victory
vĭd-eo, -ēre, vīdi, vīsum, I see
vigeo (2), I thrive
vīginti, twenty
villa (1), country house
vinc-o, -ĕre, vīci, victum, I conquer
vinculum (2), chain
vīnum (2), wine
viŏlo (1), I break; violate
vir, -i (2), man; husband
vīres, *plur. of vis*, strength
virga (1), rod, cane
virīl-is, -e, *adj.*, of a man
virt-ūs, -ūtis, *f.*, courage
vīs, *acc.*, **vim,** *abl.*, **vi,** *f.*, force, violence
vīta (1), life
vīto (1), I avoid
vīv-o, -ĕre, vixi, victum, I live, am alive
vīvus, *adj.*, alive
vŏco (1), I call, summon
vŏlo (1), I fly
vŏlo, velle, volui, I wish, am willing
vorāg-o, -ĭnis, *f.*, whirlpool
vōs, *see* **tu**
vōx, vōcis, *f.*, voice; remark
vulnero (1), I wound
vuln-us, -ĕris, *n.*, wound
vultus (4), face, countenance

VOCABULARY OF PROPER NAMES

NOTE 1. When the English name is the same as the Latin name, it is not repeated.

2. A capital letter in brackets after a Latin word shows on which of the six maps the place referred to can be found.

Absyrtus (2)	son of Aeetes and brother of Medea
Achill-ēs, -is, *m.*	Trojan War hero, son of Peleus and Thetis
Actiăcus, *adj.* (C)	of Actium, scene of naval battle between Antony and Octavian, 31 B.C.
Aeēt-ēs, -is, *m.*	king of Colchis and father of Medea
Aegaeus, *adj.* (C)	of the Aegean Sea, Aegean
Aegyptius (2)	an Egyptian
Aegyptius, *adj.*	Egyptian
Aegyptus (2) *f.* (B)	Egypt
Aenē-ās, -ae, *m.*	a Trojan, son of Venus and Anchises, ancestor of the Romans
Aequ-i, -orum (2) *plur.* (D)	neighbours and enemies of the Romans
Aes-ōn, -ŏnis, *m.*	father of Jason
Afr-i, -orum (2) *plur.*	Africans
Africa (1) (A)	Africa
Africānus, *adj.*	"the hero of Africa": a title of Scipio
Agamemn-on, -ŏnis, *m.*	commander of Greek forces at Troy
Agrippa	*see* Menenius
Alba Longa (1) (D)	a city of Latium, founded by Iulus
Albānus, *adj.*	of Alba, Alban
Alexand-er, -ri (2)	*see* Paris
Alexander Magnus	Alexander the Great, king of Macedon, famous world conqueror, died 323 B.C.
Allia (1) (D)	river near Rome, scene of Roman defeat by Gauls, 390 B.C.
Alp-es, -ium, *f.* (A)	the Alps
Amycus (2)	boxer who challenged the Argonauts
Anglicē, *adv.*	in English
Anglicus, *adj.*	English
Antōnius M. (2)	Mark Antony, opponent of Augustus, defeated at Actium, 31 B.C.
Archimēd-ēs, -is, *m.*	Greek mathematician of Syracuse
Argo, *f.*	ship of Jason and the Argonauts
Argonaut-ae, -arum (1) *m.*	the Argonauts, followers of Jason
Argus (2)	builder of the 'Argo'

Arria (1) — wife of Paetus, a Roman senator
Artemisia (1) — a queen, fought for Persians at Salamis
Artemisium (2) (C) — scene of naval battle between Greeks and Persians, 480 B.C.
Arx, Arcis, *f.* (E) — citadel of Rome, on Capitoline hill
Asia (1) (B) — Asia Minor
Athăm-as, -antis, *m.* — father of Phrixus and Helle
Athēn-ae, -ārum (1) *pl.* (C) — Athens
Athēniens-is, -is, *c.* — an Athenian
Athēniens-is, -e, *adj.* — of Athens, Athenian
Ath-o, -ōnis, *m.* (C) — Mt. Athos, scene of Persian shipwreck, 492 B.C.
Attica (1) (C) — country of Greece with Athens as capital
Augustus (2) — Augustus Caesar, first Roman emperor
Augustus, *adj.* — the month of August, named after Augustus
Aurōra (1) — goddess of the morning; dawn
Aventīnus (2) (E) — the Aventine, one of the seven hills of Rome

Bacchus (2) — god of wine
Bithynia (1) (B) — district in the north of Asia Minor
Boeōtia (1) (C) — country in central Greece
Bospŏrus (2) (B) — strait leading into the Black Sea
Brennus (2) — a leader of the Gauls
Brisēis (*acc.* **Brisēida**) *f.* — bride of Achilles
Britannia (1) (A) — Britain
Britannus (2) — a Briton
Brūtus M. (2) — one of the murderers of Julius Caesar

Caecīna Paetus — *see* Paetus
Caes-ar, -ăris, *m.* — Caius Julius Caesar, conqueror of Gaul and dictator, murdered 44 B.C.
Camillus (2) — Marcus Furius Camillus, saved Rome from the Gauls, 390 B.C.
Cann-ae, -ārum (1) *pl.* (A) — scene of Roman defeat by Carthaginians, 216 B.C.
Capitōlium (2) (E) — the Capitol or citadel of Rome
Carthāgo Nŏva (A) — New Carthage, town in Spain
Cast-or, -ŏris, *m.* — twin brother of Pollux
Cel-er, -eris, *m.* — attendant of Romulus, who killed Remus
Charybd-is, -is, *f.* — a whirlpool in the straits of Messana
Chius (2) (C) — an inhabitant of Chios
Christiānus (2) — a Christian
Christus (2) — Christ
Cimbr-i, -ōrum (2) *pl.* — a German people who invaded Italy
Cim-ōn, -ōnis, *m.* — an Athenian general

Circ-e, -ēs, *f.*	a mythical Greek enchantress
Claudius (2)	the emperor Claudius, A.D. 41–54
Cleopātra (1)	Egyptian queen and wife of Mark Antony
Colchus (2) (B)	a Colchian, native of Colchis
Cornēlia (1)	daughter of Scipio Africanus and mother of Tiberius and Caius Gracchus
Cornēlius Scīpio	*see* Scipio
Cūria (1) (F)	the Senate house at Rome
Cyrus (2)	king of Persia, conquered Lydia 546 B.C.
Darīus (2)	king of Persia, died 485 B.C.
Decius (2)	Publius Decius Mus, Roman consul, 338 B.C.
Dēlus (2) *f.* (C)	island of Delos
Diāna (1)	goddess of hunting
Discordia (1)	goddess of discord, Strife
Dōr-es, -um, *c. pl.*	the Dorians, one of the Greek peoples
Endymi-ōn, -ōnis, *m.*	beloved of Diana and carried to the moon
Ephesus (2) (C)	city on Asia Minor coast
Ephialt-ēs, -is, *m.*	Greek traitor at Thermopylae
Etrūria (1) (D)	district of Italy
Etruscus (2)	an Etruscan
Etruscus, *adj.*	of Etruria, Etruscan
Euphrāt-es, -is, *m.* (B)	river of Mesopotamia, eastern boundary of Roman Empire
Eurōpa (1) (A)	Europe
Euxīnus (2) (B)	the Euxine or Black Sea
Falēri-i, -ōrum (2) *pl.* (D)	a city of Etruria
Falisc-i, -ōrum (2) *pl.*	the inhabitants of Falerii
Fŏrum Rōmānum (2) (E)	the old Forum or market-place of Rome
Gallia (1) (A)	Gaul, modern France
Gallicus, *adj.*	Gallic, French
Gallus (2)	a Gaul
Geminus Maecius	*see* Maecius
Germānia (1) (A)	Germany
Germānus (2)	a German
Gracchus, Semprōnius (2)	father of the Gracchi (below)
Gracchus, Tiberius (2) **Gracchus, Gaius** (2)	sons of the above and Cornelia
Graecia (1) (B)	Greece
Graecus (2)	a Greek
Graecus, *adj.*	of Greece, Greek

Hannib-al, -ălis, *m.*	leader of the Carthaginians who crossed the Alps and invaded Italy
Hebrāicus, *adj.*	Hebrew
Hect-or, -ŏris, *m.*	eldest son of Priam of Troy
Hecuba (1)	wife of Priam
Helĕna (1)	Helen, wife of Menelaus, carried off to Troy by Paris
Helle, *f.*	sister of Phrixus, drowned in the Hellespont
Hellēspontus (2) (C)	the Hellespont
Hercul-ēs, -is, *m.*	Greek hero, famous for his twelve labours
Hērodŏtus (2)	Greek historian of the Persian Wars
Hippi-ās, -ae, *m.*	tyrant of Athens, driven out 510 B.C.
Hispānia (1) (A)	Spain
Hispānus (2)	a Spaniard
Hispānus, *adj.*	of Spain, Spanish
Hist-er, -ri, *m.* (B)	the river Danube
Homērus (2)	Homer; Greek poet, author of the Iliad and Odyssey
Horātius (2)	Publius Horatius Cocles, who held the Tiber bridge alone against Etruscans
Hylās, *m.*	a companion of Hercules
Iānus (2)	Janus; a Roman god, shown with two faces
Iās-ōn, -ŏnis, *m.*	Jason; Greek hero, leader of Argonauts
Iesus Christus	Jesus Christ
Īno, *f.*	step-mother of Phrixus and Helle
Iolcus (2) *f.* (C)	town of Thessaly from which Jason set sail
Iōnia (1) (C)	a district in Asia Minor
Ioni-i, -ōrum (2) *pl.*	the Ionians
Iōnius, *adj.*	of Ionia, Ionian
Īphigenīa (1)	daughter of Agamemnon
Isthmus (2) (C)	the Isthmus of Corinth
Ītălia (1) (A)	Italy
Ītalicus, *adj.*	of Italy, Italian
Ītalus (2)	an Italian
Ītalus, *adj.*	of Italy, Italian
Iūdaeus (2)	a Jew
Iŭlus (2)	son of Aeneas
Iūn-o, -ōnis, *f.*	Juno; wife of Jupiter
Iuppiter, Iŏvis, *m.*	Jupiter; chief of the gods
Lacedaemŏnius (2) (C)	a Lacedaemonian or inhabitant of Laconia; also used to mean Spartan
Lāoco-ōn, -ontis, *m.*	Trojan priest, strangled by serpents
Latīnē, *adv.*	in Latin

Latīnus (2) (D)	a Latin, inhabitant of Latium
Latīnus, *adj.*	of Latium, Latin
Lavīnium (2) (D)	town of Latium, founded by Aeneas
Lemnus (2) *f.* (C)	Lemnos, an island in the Aegean Sea
Leōnid-ās, -ae, *m.*	Spartan king, killed at Thermopylae
Luciānus (2)	Lucian; Greek writer of 2nd century A.D.
Lydia (1) (C)	country of Asia Minor
Macedŏnia (1) (C)	country in northern Greece
Maecius, Geminus (2)	a Latin who challenged T. Manlius
Mān-es, -ium, *m.*	gods of the Lower World, abode of the dead
Manlius T. (2)	Titus Manlius, executed by his father for disobedience
Marath-ōn, -ōnis, *m.* (C)	plain in Attica, scene of Persian defeat
Marathōnius, *adj.*	of Marathon
Marcellus (2)	Roman consul, captured Syracuse, 211 B.C.
Mardŏnius (2)	Persian general, killed at Plataea, 479 B.C.
Marius (2)	Roman general, defeated Cimbri, 102 B.C.
Mars, Martis, *m.*	god of war
Masistius (2)	Persian cavalry commander
Mēdēa (1)	daughter of Aeetes, sorceress and wife of Jason
Menelāus (2)	king of Sparta, husband of Helen
Menenius Agrippa	a Roman who persuaded his fellow-citizens to return to Rome
Mercūrius (2)	Mercury, the messenger of the gods
Messāna (1) (A)	town of Sicily, on narrow straits between Sicily and Italy
Milētus (2) *f.* (C)	town in Asia Minor
Miltiad-ēs, -is, *m.*	Athenian general at Marathon
Minerva (1)	goddess of wisdom and the arts
Mons Sacer	a hill near Rome
Mūcius C. (2)	Caius Mucius, famous for his courage against the Etruscans
Mycal-ē, -es, *f.* (C)	Mt. Mycale, scene of Persian defeat 479 B.C.
Neptūnus (2)	Neptune, god of the sea
Nīlus (2) (B)	the Nile, river of Egypt
Ōceănus (2) (A)	the Ocean, supposed to encircle the earth
Octāviānus M. (2)	Octavian, heir of Julius Caesar; later the emperor Augustus
Olympus (2) (B)	mountain in N. Greece, abode of the gods
Orcus (2)	the Lower World, Hades
Orpheus (2)	mythical Greek singer

Padus (2) (A)	the River Po, in N. Italy
Paetus, Caecīna	husband of Arria, condemned to death by emperor Claudius, A.D. 42
Palātīnus (2) (E)	the Palatine, one of the seven hills of Rome
Par-is, -idis, *m.*	son of Priam, also known as Alexander
Patroclus (2)	friend of Achilles, slain by Hector
Pausani-ās, -ae, *m.*	Spartan regent, general at Plataea
Pēleus (2)	husband of Thetis, father of Achilles
Pĕli-ās, -ae, *m.*	uncle of Jason
Peloponnēsus (2) *f.* (C)	the Peloponnese
Pĕnāt-es, -ium, *m. pl.*	household gods
Persa (1) *m.*	a Persian
Persicus, *adj.*	of Persia, Persian
Phīneus (2)	a seer, king of Thrace
Phoebus (2)	name for Apollo, Greek god of the sun, *etc.*
Phrixus (2)	brother of Helle
Platae-ae, -ārum (1) *pl.* (C)	Plataea; town in Boeotia, scene of Greek victory over Persians, 479 B.C.
Poenus (2)	a Carthaginian
Poll-ux, -ūcis, *m.*	twin brother of Castor
Pompeius, Cnaeus (2)	Pompey; Roman general and opponent of Julius Caesar
Pontifex Maximus	president of the Roman college of priests
Pontius Pilātus (2)	Pilate; Roman governor of Judaea who condemned Christ to death
Porsenna (1) *m.*	king of the Etruscans
Priamus (2)	Priam, king of Troy
Proculus Iūlius (2)	a Roman who saw a vision of Romulus
Ptolemaeus (2)	Ptolemy, a king of Egypt
Quirīnus (2)	name of Romulus after his deification
Rēgia (1) (F)	residence of the Pontifex Maximus
Rĕmus (2)	twin brother of Romulus
Rhĕnus (2) (A)	the river Rhine
Rhŏdus (2) *f.* (C)	Rhodes, island near coast of Asia Minor
Rōma (1) (A)	Rome
Rōmānus (2)	a Roman
Rōmānus, *adj.*	of Rome, Roman
Rōmulus (2)	founder and first king of Rome
Rōstr-a, -ōrum, *n. pl.* (F)	speakers' platform in the Forum
Rubic-o, -ōnis, *m.*	the Rubicon; a stream forming part of N. boundary of Italy (*position not known*)

Sacer Mons	*see* Mons Sacer
Salam-is (*acc.* **-īna,** *gen.* **-īnis**) *f.* (C)	island near Athens, scene of Greek naval victory over Persians, 480 B.C.
Sămus (2) *f.* (C)	Samos; island off Asia Minor
Sard-es, -ium, *f. pl.* (C)	Sardis; capital of Lydia in Asia Minor
Scīpi-o, -ōnis, *m.*	Publius Cornelius Scipio Africanus, the conqueror of Hannibal in 202 B.C.
Scīpio Africānus	adopted grandson of above, father of Cornelia
Scylla (1)	sea-monster in the straits of Messana
Scyth-ae, -ārum (1) *m.* (B)	the Scythians, nomadic tribes of Russia
Scythicus, *adj.*	of Scythia, Scythian
Semprōnius Gracchus	*see* Gracchus
Septemb-er, -ris	the month of September
Sestus (2) *f.* (C)	Sestos; town on the Hellespont
Sicilia (1) (A)	Sicily
Sin-ōn, -ōnis, *m.*	an agent of the Greeks who deceived the Trojans
Tarquinius Superbus	Tarquin the Proud, last king of Rome, expelled 509 B.C.
Tenedus (2) *f.* (C)	Tenedos; an island near Troy
Themistŏcl-ēs, -is, *m.*	Athenian statesman of early 5th century B.C.
Thermŏpyl-ae, -ārum (1) (C)	a pass in central Greece, scene of heroic stand of Leonidas
Thessălia (1) (C)	Thessaly, country of northern Greece
Thessălus (2)	a Thessalian
Thĕtis, *f.*	sea-goddess, wife of Peleus
Thrāc-es, -um, *m. pl.*	the Thracians
Thrācia (1) (C)	Thrace; country in northern Greece
Tiber-is, -is, *m.* (D)	the river Tiber
Tiberīnus, *adj.*	of the Tiber: "Tiberine pater"—"O father Tiber"
Tiberius Gracchus	*see* Gracchus
Troia (1) (C)	Troy; city of N.W. Asia Minor
Troiānus (2)	a Trojan
Troiānus, *adj.*	of Troy, Trojan
Turnus (2)	Italian king, killed by Aeneas
Tusculānus, *adj.* (D)	of Tusculum, a town of Latium
Ulix-ēs, -is, *m.*	Ulysses *or* Odysseus, a Greek hero famous for his cunning

Vei-i, -ōrum (2) *pl.* (D)	a town of Etruria
Vĕn-us, -ĕris, *f.*	goddess of love
Vercingetor-ix, -īgis, *m.*	leader of Gauls against Caesar, 52 B.C.
Vergilius (2)	Vergil, Roman poet, author of the Aeneid
Vesta (1) (F)	goddess of the hearth: in her temple burned an undying fire
Vestāl-is, -is, *f.*	priestess of Vesta, Vestal virgin
Vesuvius (2) (A)	a volcanic mountain near Naples
Volsc-i, -ōrum (2) *pl.* (D)	a Latin people, neighbours of Romans
Xerx-ēs, -is, *m.*	king of Persia, 485–465 B.C.

MAPS

Map A
WESTERN
MEDITERRANEAN
Miles
0
100
200
300
OCEANUS
BRITANNIA
GERMANIA
Rhenus F.
GALLIA
ALPES
Padus F.
ITALIA
CORSICA
SARDINIA
ROMA
VESUVIUS
CANNAE
MESSANA
SICILIA
SYRACUSAE
MARE INTERNUM
CARTHAGO
HISPANIA
CARTHAGO
NOVA
COLUMNAE
HERCULIS
AFRICA

Map B
EASTERN MEDITERRANEAN
SCYTHIA
MARE EUXINUM
COLCHIS
Hister F.
Bosporus
BITHYNIA
Euphrates F.
M. OLYMPUS
TROIA
LEMNUS
IOLCUS
MARE AEGAEUM
GRAECIA
ASIA
SYRIA
CYPRUS
CRETA
IUDAEA
MARE INTERNUM
AEGYPTUS
Nilus F.
Miles
0
100
200
300

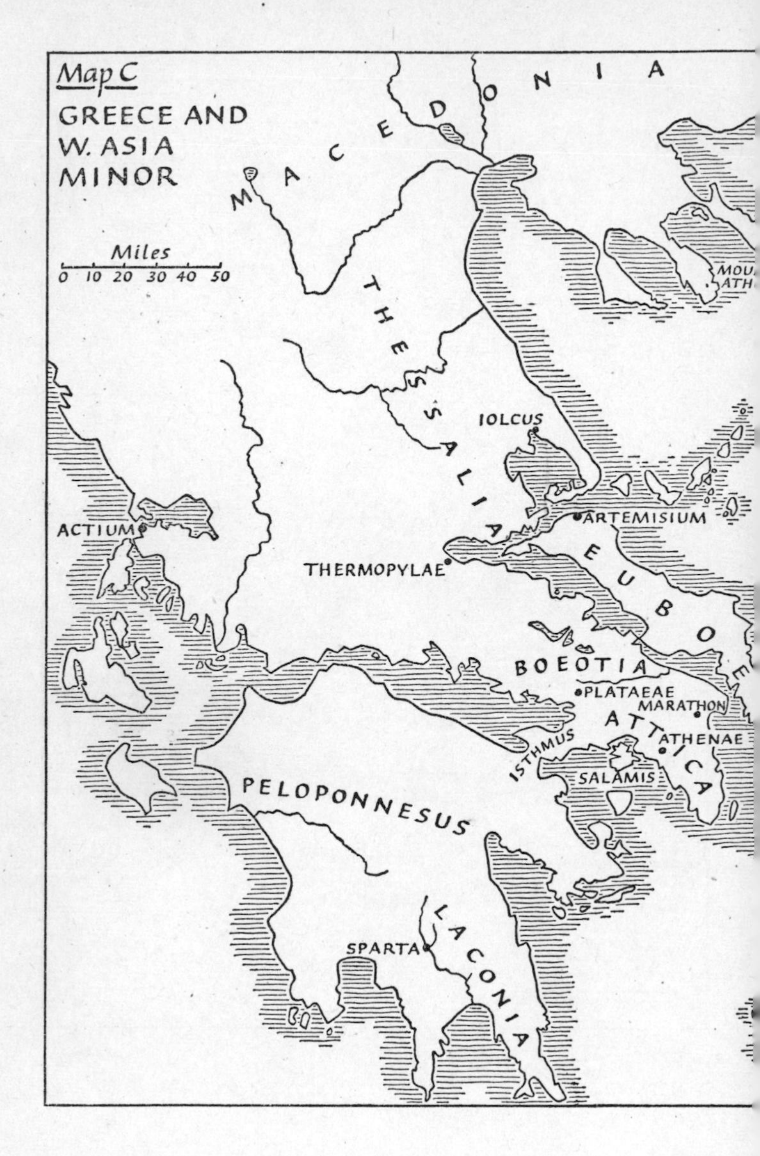
Map C
GREECE AND W. ASIA MINOR
Miles
0 10 20 30 40 50
MACEDONIA
THESSALIA
IOLCUS
ARTEMISIUM
ACTIUM
THERMOPYLAE
EUBOEA
BOEOTIA
PLATAEAE
MARATHON
ATTICA
ATHENAE
ISTHMUS
SALAMIS
PELOPONNESUS
SPARTA
LACONIA

THRACIA
PROPONTIS
THASOS
SESTUS
HELLESPONTUS
TROIA
LEMNUS
TENEDUS
ASIA
MARE AEGAEUM
LESBUS
LYDIA
CYRUS
SARDES
CHIUS
IONIA
EPHESUS
SAMUS
M. MYCALE
MILETUS
DELUS
NAXUS
PARUS
RHODUS

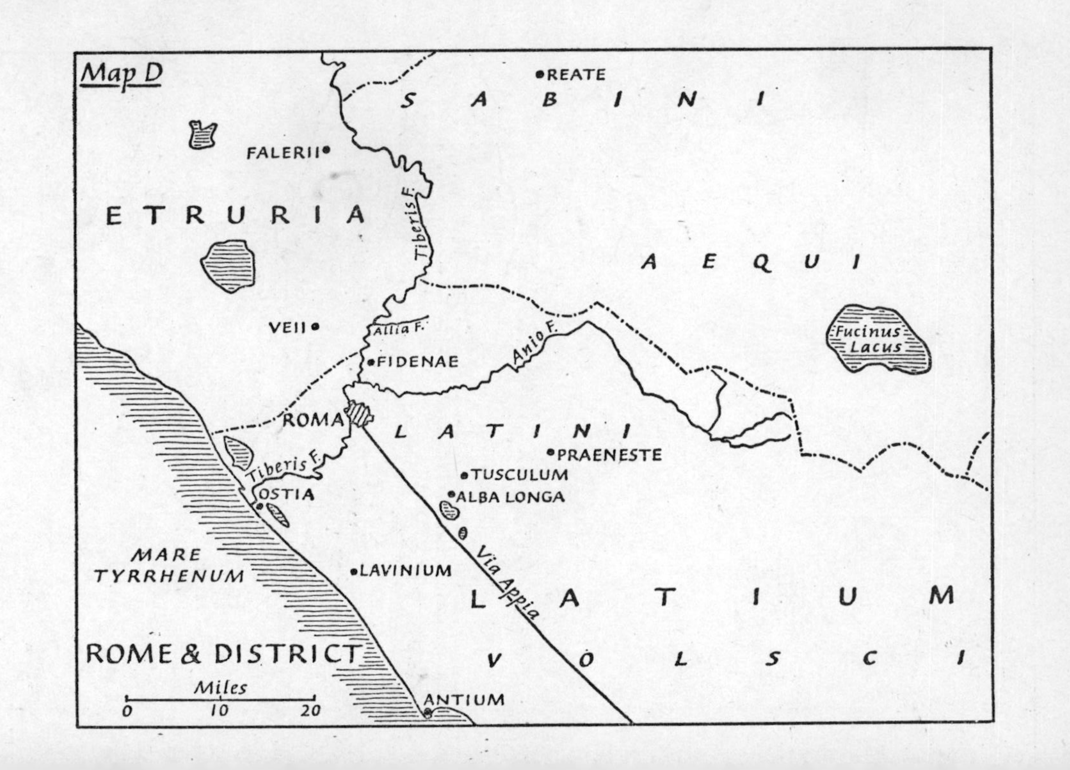
Map D
REATE
SABINI
FALERII
ETRURIA
Tiberis F.
AEQUI
VEII
Allia F.
FIDENAE
Anio F.
Fucinus Lacus
ROMA
LATINI
PRAENESTE
Tiberis F.
TUSCULUM
OSTIA
ALBA LONGA
MARE TYRRHENUM
LAVINIUM
Via Appia
LATIUM
ROME & DISTRICT
VOLSCI
Miles
0
10
20
ANTIUM

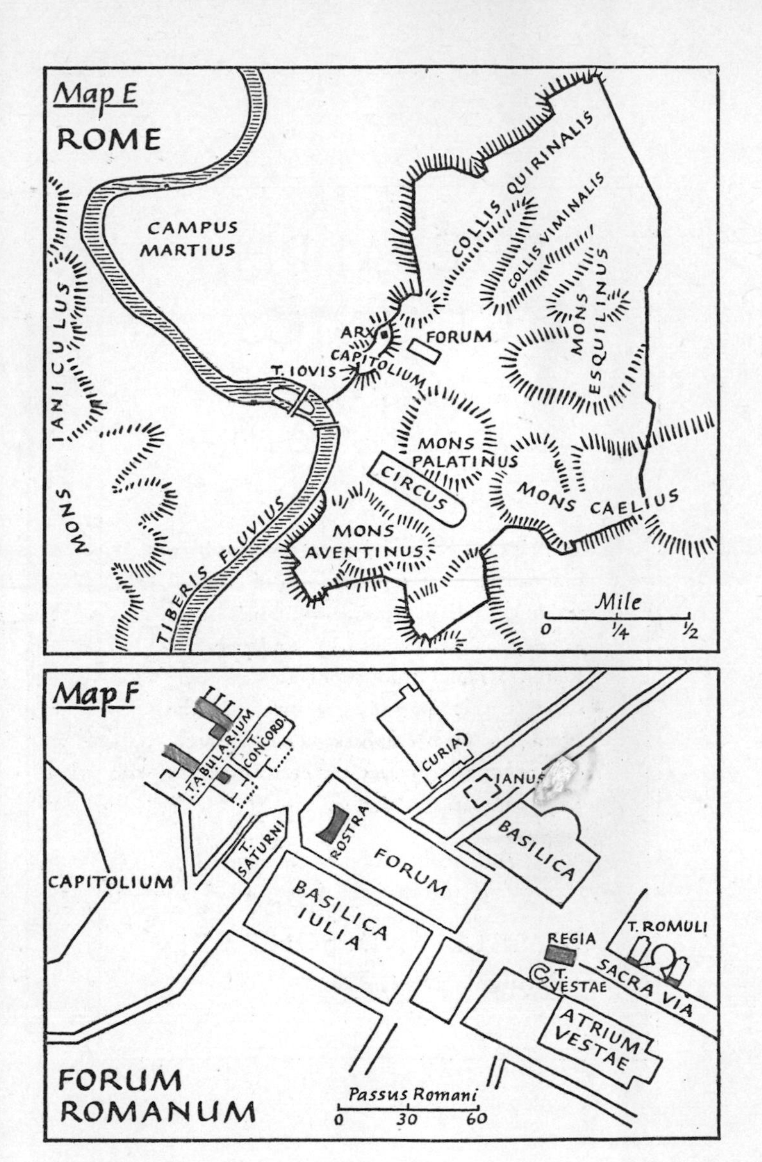
Map E
ROME
CAMPUS MARTIUS
COLLIS QUIRINALIS
COLLIS VIMINALIS
MONS ESQUILINUS
MONS IANICULUS
ARX
FORUM
CAPITOLIUM
T. IOVIS
MONS PALATINUS
CIRCUS
MONS CAELIUS
MONS AVENTINUS
TIBERIS FLUVIUS
Mile
0
¼
½
Map F
TABULARIUM
T. CONCORD.
CURIA
JANUS
T. SATURNI
ROSTRA
FORUM
BASILICA
CAPITOLIUM
BASILICA IULIA
T. ROMULI
REGIA
T. VESTAE
SACRA VIA
ATRIUM VESTAE
FORUM ROMANUM
Passus Romani
0
30
60